十六の言葉

ナヴァー・エブラーヒーミー

酒寄進一［訳］

Sechzehn Wörter

Nava Ebrahimi

駒井組

十六の言葉

装丁・本文デザイン　成原亜美（成原デザイン事務所）
カバー写真　© Getty Images
表紙イラスト　© iStock

この小説を読む前に

小説に「まえがき」めいたものを書くのは無粋かもしれないが、本書を読むことがより深い意義を持つよう若干の説明を加えることにした。

本書はイラン生まれのドイツ語作家の作品だ。作家と同じようにイランで生まれ、ドイツで育った主人公の女性の半生とその母、祖母の生き方を通して、愛憎相半ばするイスラーム文化圏とヨーロッパ文化圏の人の有り様が見えてくる。『十六の言葉』というタイトルが示すように、日本語に訳すとなんということのない言葉がキーワードになって物語は進行するが、文化圏が違うだけでその言葉に含まれる意味合いにこれほどの差があるとは、と思い知らされるだろう。本書を日本文化圏で読む意議は、わたしたちひとりひとりが精神的にこの両極のどのあたりに位置しているかを知るバロメーターとなることにあると思う。

ドイツとイランというふたつの国と宗教、文化を考えたとき、日本の読者にとって圧倒的に情報が少ないのはイランのほうだろう。ここではイランが抱えるいくつかの問題を事前に紹介しておこうと思う。そうすることで、主人公の内面、そして両文化圏のあいだにぱっくりあいたクレバスの幅と深さがわかり、この小説をよりダイナミックに刺激的に読めると思うからだ。

さて、本書との絡みでイランを語るなら、二十世紀にイランで起きた三つの革命に触れる必要がある。最初の革命は一九〇五年の立憲革命、ふたつ目は一九六三年に始まる白色革命、そして最後が現在のイラン・イスラーム共和国を樹立させた一九七八年に始まったイラン・イスラーム革命だ。

イラン（当時はガージャール朝）は十九世紀にロシア帝国の南下政策の矢面に立たされていた。アジアの一小国である大日本帝国がこのロシア帝国に打ち勝ったこと（日露戦争）が、イランに日本と同様の立憲君主制国家をつくり、西欧列強と結んだ不平等条約の撤廃をめざす機運を生んだ。これが立憲革命である。だがイランは、資源に乏しい日本と別の道を辿ることになる。一九〇八年に石油が発見され、西欧諸国（とくにイギリス）がその利権を狙って触手を伸ばしたからだ。

第二次世界大戦ではイラン皇帝《シャー》がナチス・ドイツに接近した結果、イギリスとソ連に占領される。当時イギリスの植民地になっていたインドの独立運動家ボースが敵の敵は味方とばかり、一九四三年に日本を訪れ、協力を仰いだことはよく知られているが、じつはそれ以前にヒトラーやムッソリーニとの連携を目論《もくろ》んで、ドイツに滞在していたことは案外知られていない。どうやらイラン皇帝もまたボースと同様の信条を持っていたように思われる。

第二次世界大戦後、皇帝となったモハンマド・レザー・パフラヴィーはふたたび立憲君主制国家をめざし、石油の膨大な埋蔵量を背景に上からの近代化と経済成長を押し進めた。これが白色革命だ。ここでも戦後の廃墟から空前の経済成長を遂げた日本の存在が大いに刺激になったらしい。だが急激な改革は社会に大きなひずみも生む。当時、秘密警察による弾圧を受けたのが反体制的な共産主義ゲリラとイスラーム主義勢力だった。

本書の主人公の父親が身を投じたのは共産主義革命をめざす一派だった。実際、一九七〇年代前半には、毛沢東やチェ・ゲバラを師と仰いだ複数の共産主義ゲリラ組織が活動していたという。だが、ゲリラ組織を糾合することができないうちに、イスラーム主義勢力が台頭して、一九七九年一月に時の皇帝パフラヴィーが亡命し、イスラーム法学者が統治する「イラン・イスラーム共和国」が四月に樹立されて現在に至る。

本書の主人公が一九七四年に生まれ、その後、母に連れられてドイツに行くという設定は象徴的だ。本書の主人公とその母と祖母はこうして「正義」と「繁栄」と「信仰」

を目標に掲げた三つの革命に翻弄され、葛藤する。はたして欧米社会とイスラーム社会の価値観のどちらに正義はあるだろう。本当の豊かさとなにか。そして信じるもの、愛するもののために、人はなにをなすべきか。ぜひ、この物語の中で、そういう決断を迫られたこの三人に伴走してみてほしい。きっと日本の近代の延長線上で生きているわたしたちにも、これまで見えなかったなにかが発見できるだろう。これはそういう小説だ。

十六の言葉　目次

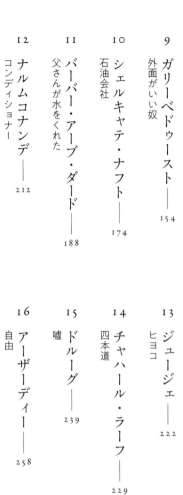

主な登場人物

モウナー・ナーゼミー　イラン生まれ、ドイツ育ちの女性記者。ゴーストライター。
マルヤム・ナフィーシー　モウナーの祖母。
ミヌー・ヘーゲバウアー　モウナーの母。夫と離婚後、ドイツで再婚。旧姓タブリージー。
レザー・ナーゼミー　モウナーの父。共産主義者で、毛沢東主義者の博士。
ファリーバー　モウナーの母・ミヌーのいとこ。
スィーマー　モウナーの祖母・マルヤムの姉の娘で、ミヌーのいとこ。
クララ　モウナーの幼なじみ。モデルになったのちに結婚。
スィヤーヴォシュ　新聞社の特派員記者。イラン生まれ、フランクフルト育ち。
ラーミーン　ジャーナリスト。既婚者で、モウナーとは十年の付き合い。
ヤン　カメラマン。モウナーとはほどよい関係。
スヴァンチェ　モウナーの父がいっしょに暮らすドイツ人女性。

十六の言葉

祖母に捧ぐ

プロローグ

誰しも人生で最初に覚える言葉がある。その言葉が見事にわたしを不意打ちにした。ちょうど、ここで取りあげる十六の言葉と同じように。その言葉から身を守ることは、ただの一度も成功したことがない。「ほかにも言語はあるんだぞ。おまえの母語だ。おまえがいま口にしているのがおまえの言語だと思ったらまちがいだ」十六の言葉は繰り返しそういうメッセージを送りつけてきた。わたしは何度も何度もその十六の言葉を突きつけられてきた。わたしの人生と無関係な言葉。毎日、自転車を解錠するときの仕草と無関係な言葉。レストランで料理を注文し、春に冬服をしまうわたしと無縁な言葉。どの言葉ひとつとっても、わたしの人生となんの関わりもなかった。それなのに、というか、だからなのか、この十六の言葉は繰り返しわたしに襲いかかってきた。

けれども、あるとき霊感が働いて、ひとつの言葉をドイツ語に翻訳してみた。そのとたん、その言葉が無力になるのを感じた。なんでいまごろ思いついたんだろう。どうしてもっと早く思いつかなかったのか、わたしには分からなかった。翻訳された言葉、白日の下にさらされた言葉と向き合うことがたぶん怖かったんだろう。十六の言葉は唐突にわたしを支配する力を失った。まるでおとぎ話のように、翻訳によってわたしは言葉の呪縛を解き、虜囚の憂き目から解放された。言葉とわたし、どちらも自由になった。ほかの言葉がこれに続いた。どの言葉も、軛《くびき》から、そして孤独のうちに露命をつないでいたその呪縛から解き放たれることを望んだ。双方を隔てる壁を乗り越え、手をつなぎ合ったとき、言葉たちは何年も目眩《めくら》ましにあっていたことにはじめて気づいた。個々の言葉ではない。すべての言葉だ。翻訳されないうちは、じつにうまく目眩ましが効いていた。

I　マーマーン・ボゾルグ
―おばあちゃん―

歓声とわめき声は耳に痛いほどだ。くぐもっていて、遠く聞こえる。わたしは目を開けた。薄暗い。天井に真鍮のシャンデリアの影が見える。どの部屋にもそういうシャンデリアが下がっている。寝過ごしてしまい、大事な用事に遅れたかのようにあわてて身体を起こし、廊下を手探りしながら居間に向かった。暗がりの中、祖母はカウチに腰かけていた。テレビの画面が青い光を放っている。音量を上げているので、テレビは音楽に合わせて振動していた。祖母は指を鳴らし、肩を前後に揺すっている。祖母の黒いブラウスのデコルテで、蝶がきらきら光っている。穿《は》いているのはピンクのタオル地のジョギングパンツだ。いつも祖母が寝るときに穿いているものだ。

「こっちにいらっしゃい！」祖母は肩を揺すりながら声をかけてきた。

「おばあちゃん《マーマーン・ボゾルグ》、まだ早いじゃ……」そう言って、わたしは両手で目をこすった。

「ロサンゼルスは夜よ。特別公演が始まったところ。ここマシュハド〔イラン北東の都市〕では、公演の始まりがどんなに朝早くたって、誰も気にしないわ」祖母は音楽に合わせて指を鳴らし続けた。

　わたしは横に座って、祖母の様子をうかがった。まつ毛にはマスカラがこびりついている。口紅は唇からはみだし、唇の上のしわにまで及び、ちょっとした赤いデルタ地帯を作りだしていた。白粉《おしろい》もたっぷりつけたらしく、額のしわの溝を埋めてしまっている。祖母は昔から白粉でしわを隠しているが、年を取るにつれ、さすがにごまかせなくなっていた。

　テレビではロサンゼルスにあるイラン人向け放送局の「鼓動《タペシュ》」という番組が流れていた。イランのポップミュージックに乗って、丈の短いドレスを着た三人の娘がスモーキングジャケット姿の年輩の男のまわりで踊っている。知っている男だ。名前はアーレフ。ダンサーは小麦畑でかくれんぼでもしているかのように跳びまわっている。アーレフはダンサーが見えないかのように振る舞い、自分の心を虜にした女性のことを歌っている。彼女の艶めかしさに死にそうだ、と。わたしの母はこの歌が好きだ。しばらくのあいだ、日に何度もカセットテープをかけて聴き、巻き戻しては聴いて、また巻き戻すことを繰り返した。その歌は母の憧れを育むものだったのか、それがどんな憧れなのか、わたしはいまもって分からない。それでも当時のわたしは、その歌に合わせて鏡の前で踊り、子どもっぽい腰を一生懸命振ったものだ。それは母の真似だった。イランから来たバンドがケルンでコンサートを開いたときに聴きに行き、わたしはダンスフロアのそばで、母が踊る姿をずっと見ていた。両手を宙でくねらせ、腰を回し、肩を揺する。わたしはそのすべてを心に刻みつけた。

アーレフは顔をしかめている。女性の虜になった心がどれほど苦しいかを表現したいのか、はたまた何十年も同じ歌を歌い続けているせいなのか。かつてはテヘランの劇場、そしていまはアメリカのショーで、なにも変わらず、時間が止まったかのように歌い続ける。

アーレフが歌い終わると、間髪をいれずトレーニングマシーンのCMが番組を中断させた。ペルシア語のテロップがついたアメリカ製腹筋トレーニングマシーンのCM。祖母は満足したのか、扇子を使った。

「アーレフはみんなの心を虜にするけど、愛しているのはわたしだけなのよ。数週間前に大きなニューイヤーショーに出演したとき、あの人はステージからわたしにプロポーズしたの。わたしのことを比類なき女で、これほどすばらしいアーティストはいないと言って！」

祖母はわたしに期待に満ちた眼差しを向けた。目がきらきらしている。わたしは目をそらし、テレビ画面を見つめた。腹筋トレーニングマシーンの注文番号が赤い字で浮かんでいた。676881。小学校時代の友だち、クララの電話番号は767881。はじめて暗記した電話番号だ。クララとはもう縁が切れたけれど、その番号は死ぬまでわたしにつきまとうだろう。

わたしは、祖母にじろじろ見られているのを感じた。

「髪をとかしなさい。まるで暴行された売春婦みたいよ」

「おばあちゃん《マーマーン・ボゾルグ》！」

「紅茶をいれてくれるかしら。アーレフはまたすぐステージに上がるのに、喉がからから」

祖母は何度も口をくちゃくちゃさせ、カクっと音を立てた。入れ歯のかみ合わせが悪いのだ。

「若年増のコス（陰部）みたいに乾いちゃってる」

竈《かまど》には配達されたケバブのプラスチック皿が積み上げられている。以前はこの時間に、ラムのすね肉を圧力鍋で煮ていたものだ。わたしはポットに茶葉を入れ、湯を沸かした。湯が沸くのを待つあいだ、作業台に手をついて目をつむった。疲れていた。わたしがイスタンブールで乗り込んだ旅客機は午後十時にマシュハドに着陸するはずだったが、予定どおりにはいかず、着陸したときは夜中の二時になっていた。旅客機は街の上空を何度も旋回した。闇の中、イマーム・レザー廟〔シーア派第八代イマーム・レザーが殉教した聖地〕が極彩色に光っていた。蓋を開けた宝箱のようで、手を伸ばせば届きそうな気がした。ところが機長は、マシュハドには着陸せず、テヘランに向かうとアナウンスした。機内のあちこちでため息やつぶやきが聞こえ、やがて乗客たちがしゃべりだした。

「天候が不順なんだろう」

「あんたには悪天候に見えるのかい？」

「さっき母に電話をしたけど、晴天だと言ってた」

「おいおい、真夜中だぞ。あんたのおふくろさんは脳天気だろうけどさ」

「テヘランでは降りないほうがいい。さもないと、自力でマシュハドまで行く算段をしなくちゃならなくなる」

「降りなかったら、反革命派〔イスラーム革命を起こし樹立された現政権に反対する派閥〕にされるぞ」

「機内の死体はどうなるんだ？」

「死体？」

「この機には死体が二体載ってるんだ」

「死んでも安息の地は得られないってことか」

「これはきっとイスタンブールで楽しんだことへの天罰だ」

数人が笑った。

テヘランに着陸した旅客機はしばらく駐機してから、なにごともなくまた飛び立った。なんのアナウンスもなく。

やかんが鳴った。湯をポットに注ぎ、琥珀色になるのを待つ。それからグラスに紅茶をなみなみと注ぎ、角砂糖をふたつ添えて、祖母のところに運ぶ。祖母は射し込む朝日にそのグラスをかざした。

「うまくいれてある。おまえもそろそろ適齢期ね。いったい、いつになったら結婚する気？もうすぐ三十でしょう」

「おばあちゃん、わたしはとっくに三十歳を超えてるんだけど」

「女はみんな、若く見られたいのに、あんたは年を取っているように見せようとする」

「覚えてないの？　わたしは一九七九年のイスラーム革命前に生まれたのよ」

「なんの前だって？」

祖母は角砂糖をひとつ口に含んで、紅茶をすすった。そのあいだも目はテレビに釘付けだった。ジェルで髪をべとべとにした司会者が、アフマディーネジャード〔イラン・イスラーム共和国第六代大統領〕を腐すジョークを言った。

「だけど、おまえにだってハーステガール（求婚者）はいるんでしょ！　そうでなくても、ボーイフレンドが。詳しい話はしなくていい。まったくドイツの男は甲斐性無しね。おまえは若い。アーザーディー（自由）を謳歌している。なのに男がいないなんて」

祖母はよく「おまえはアーザーディーを謳歌している」と言う。でも、そこに大げさな響きはなかった。むしろ好奇心と嫉妬がないまぜになっていた。自由に生きるということを、祖母は実際よりも刺激的なことだと思っている、と以前のわたしは感じていた。

「わたしにもハーステガールはいるわ。求婚されているけど、結婚したくないの」

わたしは祖母を安心させるためにそう言った。西半球の大都会で三十半ばの女がシングルでいることがどういうものなのか、どうやったら説明できるだろう。結婚恐怖症といったものをどうやって説明したらいいだろう。ドイツ語でそんな説明をしたら滑稽でしかない。相手と気持ちが近づきすぎることへの不安。人間関係の縛りがきつくなると逃避したくなる衝動。ペルシア語で考えれば、そうはならない。そういった心の機微などもともと存在しないからだ。

わたしがドイツでどんな恋愛をしているか打ち明けても、祖母には理解できないだろう。そもそもわたし自身にだって理解できないのだから。これまで何人の男と寝たか素直に白状すれば、きっと祖母は卒倒してしまう。少なくとも、わたしはそう思った。

「ハーステガールがたったひとり？　だめね。こっちなら行列ができるわよ。ひとりいるんだったら、もっと作らないと！　わたしの姪なんて、おおぜいの男からドバイの超高級ホテルに招待されているわよ」

「おおぜいの男から？」

「そうよ！　イランは巨大な売春宿も同じ！　おまえが服を脱いで、コス（陰部）を見せつけたら、九十歳のおじいちゃんだって大喜びする」

「おばあちゃん《マーマーン・ボゾルグ》！」

「わたしにだって崇拝者が何人かいるんだよ。たとえば、うちの前の通りのはずれでお菓子屋をやってる人とかね。まだ五十にもなっていない奴。お菓子の箱を渡すとき、いつだってわたしの手に触る」

祖母は一瞬、わたしの手に触れてから、自分の手を目の前にかざして、しげしげと見つめた。

「おまえのおじいちゃんはわたしの手に惚れたのよ。わたしが病院でおじいちゃんに紅茶を運んだときにね。わたしの手は白くて、ふっくらしていた。指の第二関節の小さなくぼみに豆をのせることだってできた」

わたしはといえば、手の甲に豆がのっているところを思い描いていた。祖母は濡れた袋が落ちるようにドサっと手を落とし、急に無気力な表情に変わった。

「だけど、美貌なんて破滅を呼ぶだけ。わたしをご覧。おまえの母さん《マーマーン》をご覧。運命は醜い女のほうに微笑むものさ」

祖母は気を取り直して、テレビに目を向けた。白い毛皮の襟がついた白いローブをまとった女性歌手がひとり、画面に登場した。その女性歌手は目を閉じて、イランへの郷愁を歌った。祖母はわたしにリモコンを渡してテレビ画面に合わせて歌った。声はかすれていた。祖母はその女性の仕草を真似て腕を広げ、胸元で交差させると、拳を握って苦しそうに顔をしかめた。歌はファンファーレで終わった。女性歌手は大きく目を見開いた。クローズアップ。涙があふれ、頬を伝っている。白いタキシードを着たキーボード奏者が彼女にハンカチを渡した。女性歌手はハンカチを顔にポンポン当てながら、おじぎをした。アップにした髪が前に崩れそうだった。

祖母も立ち上がって、膝をがくがくさせながらおじぎをした。形崩れしたタオル地のジョギングパンツを穿いていたので、足がひょろひょろなのはよく分からない。祖母はまた腰を下ろして、ブラウスの襟ぐりを引っ張った。

「こんな乳房を見たことがあるかい？　丸くて、硬い。どうこれ？」

わたしはちらっと見た。

「そうね、おばあちゃん《マーマーン・ボゾルグ》。すごい胸」

「看護学校でみんなが言ったものよ。『ねえ、マルヤム、あなたの美しい胸を見せて！』」

祖母はブラウスの襟ぐりをつかんで、ずっと自分の胸元を見ていた。

「この年でこの胸！　子どももふたりに授乳したっていうのにね！」

「ふたり？　わたしの母さんのほかにもお乳をあげた子がいるの？」

祖母は襟ぐりを放してブラウスを整え、顎を前につき出すと、わたしからリモコンを取り上げてチャンネルを変えた。

「とにかく、おまえもわたしの言うことを聞いて、もっとタマネギを食べていれば、胸が美しくなったのにね」

祖母はザッピングを続けた。

「姪の誰かにお乳を与えたの？」

「おまえの母親はいつも聞き分けがよかった。あの子ほど美しい胸の子は親戚にはいないさ。十三であの子の胸は熟したオレンジみたいだった。そして、あの子をおまえの父さん《バーバー》に与えたんだ。神よ、赦《ゆる》したまえ」

祖母はひと通りザッピングを終え、また「鼓動《タペシュ》」にして、大きくため息をつくと、縮めたアコーディオンのようにくたっとしぼんで、目を閉じた。

「おばあちゃん《マーマーン・ボゾルグ》？」

祖母は反応しなかった。

わたしは跳ねるように立ち上がって、わずかに開いている祖母の口の前に頬を寄せた。息づかいを感じる。だが念のため頸動脈に触ってみた。わたしは祖母の手からゆっくりリモコンを抜いてテレビを消した。

2 モルデシュー ―納棺師―

　あと一歩、それで空港ロビーへの自動ドアが開く。その先で待ち受けているのが誰かは先刻承知だ。それなのに突然、自動ドアが真っ黒な穴に変わって、そこに落ちていくような感覚に襲われる。目を閉じていても分かる。たくさんの手がわたしに伸びてくる。もう一度宙に投げだされそうだ。仰向けに押し倒されて天を仰ぐ。わたしは穴の中に落ちて行く。きっと、はるか上空の開口部が小さな白い点にしか見えなくなるだろう。

　母も足を止めた。あたかもわたしたちにまだ選択肢があるかのように。ここで思いとどまれば、飛行機に乗って飛んで帰れるとでもいうように。わたしたちは歩きだす前に深呼吸をした。曇りガラスの自動ドアが開き、母のいとこたちが駆け寄ってきた。まるでわたしたちを包み込む、放電する雷雲のようだ。わたしの顔は親族の涙で濡れ、耳元で嘆きの声を聞き、香水と汗の匂いで息が詰まる。わたしは次々と彼女らの胸に抱かれ、「ありがとう、ありがとう」と言いながら、されるがままになる。そのうち、ひとりのいとこが言う。

「そろそろ行かないと。おばあちゃん《マーマーン・ボゾルグ》の家でも親戚が数人待っている。空港で涙が涸れたら申し訳が立たないわ」

祖母が死んでいるのを見つけた母のいとこファリーバーは、助手席に座って後ろを振り返った。ファリーバーは薬とアナール（ザクロ）を届けに祖母を訪ね、何度もベルを鳴らしたという。ドアに耳を当ててみると、テレビの音が聞こえた。そこで今度は握り拳でドアを叩き、それでも埒が明かないと、浴室で化粧をしている最中か、テレビで音楽を聞きながら踊っていて途中で辞める気がないかの、どちらかでありますように、と祈りながら鍵屋が来るのを待った。

わたしの母は両手で顔を覆って、さめざめと泣いた。

ファリーバーは夢中で話し続けた。

「おばさんはテレビの前から離れることがなかった。テレビがおばさんの人生そのものだった」

「電話で話しているときは、テレビの音なんて聞こえなかったけど……」母はハンカチで涙をぬぐった。

「あなたから電話があると、テレビを消してたのよ。モウナー、あなたのときもね。いつもは朝から晩までテレビをつけっぱなしだった。テレビがついていないのは、家を留守にしているときだけだった」ファリーバーの声からは自責の念が感じられた。

わたしはイランで最後に会ってから祖母に三、四回電話をかけた。毎度こう言われた。

「いつになったら結婚するの？　もう三十よ。あなたの母親を十三歳であなたの父親に与えるんじゃなかったわ。こんなことになるんだったら……」

そこまで言うと息を切らして、祖母は電話を切った。


ファリーバーは居間のソファに座っているわたしの祖母を見つけた。詳細を聞かされて、わたしの母は打ちのめされている。

緑色のビロードのドレス。

デコルテには緑色のレース。

唇には真っ赤な口紅。

髪はブローされて、ふんわりしていた。

「お人形さんのようだった。もう誰もいっしょに遊ぼうとしないお人形」

母のいとこは前を向くと、両手で頭を叩いて叫んだ。

わたしは離陸前に飛行機恐怖症に襲われた乗客のようにタクシーの後部座席で固まっていた。

タクシー運転手はいきなりブレーキを踏み、車線を変えると、追い越した車にルームミラー越しに呪いの眼差しを向けた。

ファリーバーは放心して言った。

「医者の話では、死んでから一日経っていたらしいわ」

「テレビの前でひとりで死ぬなんて。ドイツ人なら分かる。孤独なドイツ人なら。だけど母が、わたしの母がそんな死に方をするなんて……」

わたしは母に新しいハンカチを渡した。タクシー運転手はアクセルを踏んだ。何メートルもある宗教指導者の肖像写真のそばを通った。さも見飽きているとでもいうような眼差しで、運転手は皮肉まじりの笑みを浮かべていた。


埋葬当日、空に浮かんでいるのは太陽だけだった。母さん《マーマーン》のいとこたち、わたしたち、そしてどこの誰だか分からないたくさんの親戚が箱型の建物の前に立っていた。中ではモルデシュー（納棺師）が祖母の遺体を洗い清めている。ドアがきちんと閉まっていなかったので、水がこぼれる音や跳ねる音が聞こえてくる。

「もっと強く、もっと強く！」わたしがバスタブで背中を洗ってあげると、祖母はいつもそう言ったものだ。「もっと強くこすってくれないと、汚れが取れないよ」

遺体が洗い清められたあと、もう一度顔を見る機会はあるだろうか。だが、いまだに見る決心がつかない。

わたしの左数メートルのところに、女性が三人かたまって立っていた。ひそひそ声で話をしている。ひとりがなにか訊ねて、もうひとりがなにか話し、別のひとりがなにかを見る。内緒話。祖母の生きた現実はもっぱら内緒話で成り立っていた。話し手が内緒だと強調すればするほど、その内容には信憑性が増し、珍重されて、次にその話を聞く人の期待はいや増す。話の対象がお金だったら、祖母はきっとタックス・ヘイブンのケイマン諸島にあるペーパーカンパニーに巨万の富を蓄えていることになっただろう。祖母ははっきり内緒だと言わないこともあったが、そういうときはたいてい声をひそめた。さらには目を大きく見開いて、声を低くする代わりに舌打ちをした。

三人の女性の中で一番若い人が、わたしのほうをちらちら見ている。目が合うと、わたしに微笑みかけてきた。わたしも笑みを返した。

ドアが開いて、みんな、ぴたっとおしゃべりをやめた。モルデシューを務める年齢不詳の痩せた女性が疲れた目をして姿を現し、白いタイル張りの部屋のほうを顎でしゃくった。その部屋の金属製の台に祖母は横たわっていた。わたしには祖母の足しか見えなかった。足は白い布から出ていて、身体はその布で覆われていた。足の爪にはペディキュアが塗られていなかった。モルデシューが落としたのだろうか。除光液を脱脂綿に湿らせてペディキュアを拭きとったのだろうか、それとも、祖母は人生最後のころ、ペディキュアを塗るのをさぼっていたのだろうか。わたしはドアから数歩離れたところにたたずんだ。わたしの母は建物に入り、悲鳴を上げると、三人のいとこに伴われて出てきた。

「アッラーは最も偉大である《アッラーフ・アクバル》！」男衆がそう言って、遺体を金属製の台から木製の担架に移した。「アッラーは最も偉大である！」建物から出たときもそう叫び、男衆は担架を高く掲げて、参列者の中を進んだ。神は偉大なり！　みんな、大声でそう叫んだ。わたしが知らないような確信に満ちた、敬虔な気持ちを込めて声を震わせる。遺体がそばを通ると、その声にわたしの心まで揺れた。その波動は心の中に混乱を引き起こした。奈落がぱっくり口を開けたようで、すべてがグラグラ揺れて、ほんの一瞬だが、ミシミシと音を立てたような気がした。だがそのあと、なにもなかったかのように奈落はまた蓋を閉じた。

　わたしたちは歩きだす。黒い人並み。先頭を行くのは遺体を担ぎ、「アッラーは最も偉大である！」と唱えるたびに戦慄を引き起こす男衆。わたしたちは大地にうがたれた穴のひとつを囲んで輪をつくる。母は膝をついて、両手で地面をさすった。まるでガラスを拭いているようだ。いとこたちはわたしを最前列に連れていった。わたしはそこで肩を落とし、うつむいた。まるで自分までその穴に引きずり込まれようとしているかのように。男衆が白い布に包まれた亡骸を穴に下ろした。すすり泣く母のいとこたちが前に出てきた。わたしは場所を空けることにして後ろに下がり、地面から顔を覗かせている岩にこっそり腰かけた。

　そよ風が吹いた。ひと握りの木の葉がカサカサと音を立てながら舞い上がった。女たちのベールがはためき、追悼の歌声もかき消された。

「テレビの前でひとりで死ぬなんて。ドイツ人なら分かる。孤独なドイツ人なら。だけど母が、わたしの母がそんな死に方をするなんて……！」

母はさっきと同じことをつぶやいた。ほかに嘆きの言葉を知らないようだ。父が埋葬されたときは、父の妹が「孫を膝に乗せたかったでしょうに」と繰り返し叫んだ。本当にそう思っていたかは怪しいものだが、それはどうでもいいことだった。こういう嘆きの言葉は参列者の悲しみにとって火に注がれる油のようなものだ。死者に取り憑く悪霊を焼く炎に注がれる油だ。だが、わたしの母には、そんな気の利いたことなど言えるわけがない。

祖母がもっと長生きできたら、なにを経験し、なにを目にし、口にしたかったか。そんなことを考える者などひとりもいない。祖母はいつだって欲しいものをなんでも手に入れた。煮込み料理をこしらえたときは、食卓に出す前に一番おいしいところを自分用に取り分けた。入浴したときは、肌が赤信号のようになり、わたしの母が額にびっしょり汗をかくまで背中をゴシゴシこすらせた。だから祖母の肌は死ぬまで十三歳の少女のようだった。それから昼食のあとは、なにがあっても毎日必ず横になった。一九六八年にビヤズ地震〔イラン北東部で起きた大地震〕が起き、わたしの祖父が公務員として短期間ビールジャンドに異動したときも、祖母は毎日きっかり午後一時に、祖父が庭に張った避難用テントに潜り込んだ。祖父はわたしが小さいときに亡くなった。覚えているのは、「わしら町のみんなが瓦礫の片付けをしているあいだ、おまえの祖母は高いびきをかいていた」と言っていたことだけだ。

祖母はじつに身勝手だった。だから姉妹の中で一番長生きだったのかもしれない。一番下の妹よりも長く生きたほどだ。一番下の妹の葬儀のとき、祖母はケバブを腹いっぱい食べて、弔問客の誰よりも早く細い足でよろよろ帰っていった。いまにも倒れそうだったが、O脚だったせいか、よろけてもうまく体重をずらして転ばずに歩いていたと母のいとこのひとりが電話で話してくれた。しかも祖母はいつものように黒いハンドバッグをしっかり抱きしめていたらしい。いとこの話では、一番下の妹は心筋梗塞を起こす直前、祖母と口論をしたという。話題はふたりの共通の男の知り合いで、祖母が住む通りのはずれに店を構えているお菓子屋を巡るものだった。わたしは、祖母を最後に訪ねたときに聞いたそのお菓子屋の話をいまでもよく覚えている。

「テレビの前でひとりで死ぬなんて。ドイツ人なら分かる。孤独なドイツ人なら。だけど母が、わたしの母がそんな死に方をするなんて……」

　母の嘆きはリズミカルな歌になり、その歌はひとり歩きして、煙のようにいずこへともなく消える。わたしは上半身を前後に揺する。なにもかもが次々とわたしから振り払われるように去っていく。さまざまな想いや思い出。わたしは身軽になる。心地いいほどの身軽さと虚ろな心。自我を捨て、時を超えて、この場から逃げだす。気づくと、どこか緑の野に座り、川辺で石を投げている。ゆっくり流れる小川の澄み切った水面に向かって。石が水底に沈むところが見えるほど透明な水だ。石を次から次へと投げる。その音がパシャ、ポチャ、といつも違って聞こえる。時間が果てしなく広がっていく。そよ風がときどき焼けた肉の匂いと大家族の笑い声を運んでくる。

いや、あれは泣き声だ。

またもや、そよ風が吹く。地面から土ぼこりが舞い上がり、陽光の中にちらっとその姿を見せては、弔問客の上に降ってくる。わたしはあたりを見まわす。すべてが新鮮に見えた。もしここで暮らしていたら、わたしはありとあらゆる葬儀に顔を出すだろう。まるで憑かれたように。だが、そのうち高揚感はなくなり、条件反射のみでトランス状態になることができるようになるだろう。そして国外から駆けつけた親族が、あれは誰だいと首をかしげるような女になる。

母のいとこのうちふたりが、登校中の女生徒みたいに並んで駐車場へ向かっていた。ふたりはチャードル〔イランの女性が外出に際して身に着ける伝統的な外衣〕で口を隠し、目をキョロキョロさせている。

「孫なのに、一度も泣かなかったわね」ひとりがそう言っているに違いない。

「うちの姑が言っていたけど、欧米ではそんなに泣かないそうよ」もうひとりがそう答えたようだ。

「欧米の人はあまり感情がないのかもね」

「あるいはおばあさんが死んでも、実感がないのかも」

「この数年、おばあさんにほとんど電話もかけなかったっていうじゃない」
誰かがわたしの手を握った。母の年配のいとこだ。この人だけは、普段なにもしゃべらず、なにか訊かれても、微笑むだけで必要最低限のことしか答えず、すぐにうつむく。わたしたちは駐車場まで黙って並んで歩いた。年配のいとこはもう一度わたしの手を強く握ってから放した。饒舌ではないが、分かってくれている。そこはかとない安堵感を覚えた。

埋葬のあと三日間、わたしは弔問を受け、紅茶を出し、夫はいるのかという質問にあいまいに答えようとして、結局いい言葉が見つからず、子どもはいるのかと訊かれても、ありもしない名前を思いつかなかった。夜中に最後の弔問客が祖母の家を立ち去ると、母とわたしは客間にマットレスを二枚並べて広げた。わたしは横になるなり深い眠りに落ちた。それでも翌朝の午前中、体の節々が痛くて、新しい一日が始まったという感じがしなかった。時間は流れるのをやめ、黒く深い湖に滞留した。キリスト教世界という別の人生を生きている場所では、四番目の待降節《たいこうせつ》〔クリスマス前約四週間のお祝いの準備期間〕が近づいているのを意識しているのだが、ここにいると十二月の時の流れになにひとつ実感が湧かない。ただ一日一日過ぎていくだけ。大きな目標をめざして、膨れあがっていくばかりの仕事に追われているようなものだ。分かっているのは祖母を追悼中だということだけで、わたしはその日々をただ指折り数えている。

追悼七日目の朝、玄関のベルの音で目を覚ます。母は背を向けたまま、毛布を頭からかぶっている。わたしは横たわったまま耳を澄ました。またベルが鳴った。そしてもう一度。わたしは枕で頭を覆った。ベルは鳴りやまなかった。

クローゼットにタンネングリーンの手編みジャケットがかかっていた。ボタンは鹿の角製で、襟にエーデルワイス柄の刺繍を施したドイツの民族服仕立てだ。祖母がドイツで買ってきたもので、よく家で着ていた。わたしはそれを肩にかけて、玄関のドアを開けた。

真っ黒なふたつの瞳が目に入った。わたしはとっさにドアを閉めて、数秒後あらためて開けた。頭に黒いスカーフをかけて。スカーフは墓地で土ぼこりをかぶり、母のいとこの涙に濡れて、ごわごわになっていた。わたしはそのスカーフを顎の下で強く結びすぎていた。

「すみません」その日はじめて口にした言葉だ。頭髪を見せたことよりもスカーフをかぶるのに手間取ったからだ。

目の前には男がひとり立っていた。背丈はわたしとほとんど変わらず、頭を丸刈りにしていて、肌は灰褐色だ。ベージュのワイドパンツに無造作にフランネルシャツを突っ込んでいる。そして隣にその男のミニチュア版がいた。

「お忙しいところ申し訳ありません」男が伏し目がちに言った。あきらかに父親だ。「ナフィーシーさんはご在宅ですか？」

男が履いている穴の空いたスニーカーに見覚えがあった。

「いいえ、他界しました」わたしはそう言ったが、実感が伴わない気がして、神妙に聞こえるように言い直した。「祖母は死にました」

「お悔やみ申し上げます」男は顔を上げることなく、そうつぶやいた。

そのスニーカーは数年前、わたしが自分用に買ったものだ。だがほとんど履かず、祖母がイランに持ち帰った。祖母はうちに訪ねてくると、いつも戸棚を物色して、必要としている人のためにイランに持ち帰るものを探す。必要としている人というのは、妻を癌で亡くし、日雇いで複数の息子たちを養っている男だ、と祖母はよく話していた。

「ナフィーシーさんはいい方でした。純粋な心の持ち主で、生活に困っているわたしどもをいつも助けてくれていました。神よ、憐れみたまえ」父親は言った。

「神よ、憐れみたまえ」息子もそうつぶやいた。

ふたりはそのままじっとたたずみ、地面の一点を見つめたままなにも言わなかった。なにかあげられるものはないか、とわたしは必死に考えた。トマン〔イランの通貨〕の持ち合わせはないし、ユーロは高額紙幣しか持っていない。冷蔵庫の中身も、キッチンの戸棚も片付けてしまった。

「テレビをもらえませんか？」息子が訊ねた。息子はちらっとわたしの顔を見てから、父親をうかがった。

父親は息子の後頭部を小突いた。

「ずうずうしいことを言うな」

父親は眉をひそめながら息子とわたしを交互に見た。

「いい考えね。持っていってちょうだい」

「そんな、お受けできません。まったくこいつときたら、厚かましいことを……」

父親はぶつぶつ言いながらも、しっかりテレビを運んでいった。子どもをどんなに躾けても、ずうずうしい子どもは育つものだ。遠慮も会釈もあったものではない。息子は下唇をかみ、テレビを落とすまいと必死だった。

ふたりはリモコンを忘れた。数時間後、居間が弔問客でいっぱいになったときに気づいた。リモコンはテーブルにのっていたが、無数のティーグラスに交じって見えなかったのだ。リモコンは祖母が遺した盗聴機のようだった。天に召されたか、地獄に落ちたかは知らないが、きっとこれであらゆる会話を聞き取っているに違いない。家族が自分のことをどう言って悲しんでいるかをきっとすべて知っているのだ。運命に打ちのめされた娘のためにどんな犠牲も厭わなかった母として。遊び人に我慢強く添い遂げた妻として、聖人に祭り上げられた人として。祖母はただでは死なないタイプだ。死亡証明書が発行され、衣服が処分されても、祖母の記憶が霞むことはない。わたしはそう思っている。

わたしはリモコンをTシャツにくるんで、旅行鞄に突っ込んだ。寝室は空っぽになった。しんとしていて、冷え冷えしている。わたしは背中を壁に当てたままずるっと落ちて、床にしゃがみ込んだ。居間から声が聞こえる。つぶやき声がわたしの凝ったうなじをほぐす。今日は十二月十九日。コンサートに行くはずだったが、ヤンがなんとか一枚手に入れてくれた。チケットは発売数時間で売り切れになったが、ヤンは言った。あのバンドはそんなに好きじゃないんだ、とヤンは言った。チケットはマグネットで冷蔵庫に貼りつけ、この数週間、それを見てはわくわくしていたというのに。そのバンドのアルバム「葬儀《フュネラル》」はわたしの大のお気に入りだ。よりによって本当に葬儀をすることになって、コンサートを逃すとは。七日間かかるイラン式葬儀。ドイツ式だったら、コンサートに行けただろう。ドイツなら、一日忌引して、数時間神妙にしていればすむ。午後には弔問客全員と握手をすませ、夜のコンサートで喉がかれるほど歌うことができたはずだ。

「But now that I'm older, my heart's colder（もう俺も年だぜ、ハートの熱も冷めた）」

その代わりにここで耳にタコができるほど聞かされ、ニュースのテロップみたいに脳内に流れ続けたのは「死は人生につきもの」という言葉だ。ただの宣伝文句みたいだ。なんの感慨も覚えない。

「モウナー。モウナー！　お母さんのことを気にかけてあげないと。三つ子でも産もうとしているような顔をしてる」母のいとこのひとりがわたしの肩を揺すった。わたしは自分がどこにいるかしばらく思い出せなかったが、真鍮のシャンデリアを見てはっとした。

黒装束の小柄な女性たちがキッチンに集まっていた。アフガン人だ。肌が浅黒く、訛がきつい。女性たちはティーグラスをすすぎ、定期的にライスの盆を食卓に運んでいた。わたしは水を一杯頼んで、母に持っていった。母は居間の隅で椅子に座って、手持ち無沙汰な様子でグラスを持っていた。この日はまだ涙を浮かべておらず、必要なことしか話さなかった。母は午前中、ベッドから這いだすと、ずっと座ったまま放心状態だった。いとこのひとりファリーバーが母の手を撫で、ときどき頬を濡らす涙を拭いていた。それでも黒いマスカラは完璧だった。わたしはその場にいる人たちの目を順に見た。居並ぶいとこたち。声を漏らしながらすすり泣く人。目に溜まった涙をぬぐう人。ところが、マスカラが流れて、黒い筋になっている人は見受けられない。涙もマスカラも本物ではないみたいだ。追悼していることも、いや、それこそ祖母の死までが真実味に欠けている。死んだと演出するように、と祖母がいとこたちに指示して、実際にはビバリーヒルズでペルシア人ポップ歌手としてなんの気兼ねもなく新しい人生を歩んでいるような気がする。

祖母が病気のときに抱いた妄想は基本的に祖母の願望だった。といっても偏執症的ではなく、誰かに追われているとか、盗まれたとかそういう強迫観念を抱くこともなかった。というより、祖母にとって人生は舞台だった。祖母がなにをしようと、みんなが喝采を送る舞台。テレビの前に座ると、祖母は別人になり、文字通り人生に花を咲かせた。いとこから電話があって、このままではまずい、これ以上一人暮らしは無理だ、なにか手を打たなくてはと言われても、母が動かなかったのはそのせいとしか思えない。実際、介護士を雇っても、祖母は二週間もしないうちにクビにしてしまった。

「わたしの口紅を使った」

「わたしが見ているところでアーレフに言い寄った」

「近所の介護士のほうが美人だ」

祖母は電話口でそう不満を並べた。

「こっちへ来て。おばさんの具合がとても悪いの」母のいとこが祖母のことを電話口でそう言うたび、わたしはどんな状況か思い描いてみたものだ。具合がとても悪いというのは、国外で暮らすイラン人にとって、死んだも同然という意味になる。だが実際には、祖母を他人任せにしておけない状態だという意味だ。「熱い涙が祖国の土を濡らす」などと大げさに言われても、わたしは無視して電話を切った。たまに気が引けて、親族の葬儀に参列しようか迷うこともあったが、結局行かないことにした。すこしばかり逡巡しても、結局なにもなかったかのように自転車でオフィスに通い、昼にはオーガニックスーパーで量り売りのサラダを買う。イランとわたしの両立不能な緊張関係にそろそろ終止符を打つときだった。イランから出国しそこねた、誰が誰だか分からないような母のいとこを除いて、親族はみんな、死んでしまったのだから。ジャーナリストのラーミーンとも完全に縁を切るつもりだった。そうなれば、平々凡々とした人生を送れると思っていた。平凡で自分の意のままになる人生を。

イランにふたたび来ることがあるとしたら、それは年金生活者になってからだろう。バザールでシルクの絨毯を買ってぼられ、ホテルでサービスがなってないと文句を言うかもしれない。初恋の相手がイラン人交換留学生だった、そういうレアな恋愛体験をしたドイツ人ツーリストのように。

だがそうは問屋が卸さなかった。電話がかかってきたのは、母といっしょに市内に買い物に出ていたときだった。わたしたちはほかに客のいない脇道にある靴屋でほとんど選択肢のないような白いエナメル靴を物色していた。わたしはサイズ四十のブーツを試着させてくれと店員に頼んだ。店員が箱を小脇に抱えて戻ってきたとき、母の携帯のオリエンタル風の呼出音が店内に鳴り響いた。母がハンドバッグをごそごそやって携帯電話を探すところを、店員とわたしはじっと見つめた。母はいつものように「ヘーゲバウアー」と言った。それがドイツで結婚したヴォルフィの苗字で、離婚したいまもそう名乗っていた。誰かがイランから電話をかけてきた、とわたしが直感した瞬間、母が悲鳴を上げ、携帯電話を落とした。わたしは携帯電話を拾い上げ、「すみません」と言って母を店の外に引っ張りだした。

「母さん《マーマーン》！」わたしは母の肩をつかんだ。「母さん、どうしたの？」

答える代わりに、母は片手を胸に当てて泣きだした。わたしは母の肩を揺すった。

「どうしたの？」

「母さん、わたしの愛する母さん……」母はペルシア語で叫んだ。

わたしはとっさに正しい行動をとるために頭に電流が流れるのを待った。だが、それは来なかった。またしても。仕方なく、わたしは母を抱きしめた。でも、母の支えにはなれなかった。母はその場でくずおれはしなかったし、わたしに寄りかかってもこなかった。わたしたちはしばらく歩道にたたずんでいた。母はすすり泣いた。電話でタクシーを呼ぶのと、広い通りで探すのと、どちらが早いだろうと考えてから、わたしは後者を選択した。母から身体を離すと、ミッテル通りのほうへ母を軽く押した。母は嘆き続け、ろくに息もしなかった。金髪をボブカットにした五十代半ばの女性がマックスマーラの袋を手にしてやってきて、わたしたちを蔑むようにじろじろ見た。サンタの帽子をかぶった女性が三人、ブティックの正面に設置された屋外暖房機の前でシャンパングラス片手におしゃべりをしていたが、わたしたちがそばを通ると黙り込んだ。わたしはさっきよりも力を込めて母を押した。わたしはとにかく注目されるのが苦手だ。こういう時にかぎらず。

　わたしは手を振ってタクシーを呼んだ。運転手はたまたまイラン人だった。

「ご愁傷さま」最初の信号で止まったとき、運転手はペルシア語で言った。さりげない言い方で、こちらの返事を期待してはいなかった。

　タクシーの後部座席で、わたしははじめて祖母のことを思った。祖母は朝になると、決まって胸をあらわにして、わたしのいる子ども部屋に来て、窓辺に立った。理由は分からないが、祖母《マーマーン・ボゾルグ》はうちに来ると、いつも窓に吸い寄せられた。わたしは毎回びっくりして叫んだ。

「おばあちゃん、外から見えちゃうよ！」

すると祖母は本当に通りから見えるように身体を動かし、腕を広げて言った。

「だからなに？　ここはドイツ！　ここではアーザーディー（自由）を謳歌できるんでしょ！」

母は黙ってタクシーの座席に座り、窓の外を見た。だが内心は動揺していた。顔の筋肉がひくつくのを止められずにいた。なにを思い出しているんだろう。祖母が母を結婚させた日でも思い出しているのだろうか。わたしは自分の思い出に浸ることにした。

玄関の前でタクシーを降りると、母がわたしに懇願した。

「飛行機の予約をしてくれる？」

わたしは母の分だけ飛行機を予約した。わたしはいっしょに帰らないこと、そして数時間遅れで別の飛行機を自分のために予約したことを、どうしても母に言えなかった。

ところが、わたしはいまマシュハドにいて、泣いているのにメイクが崩れない女たち、死の予感が当たったと固く信じている女たちに囲まれながらルイ十六世様式の模造品の椅子に座って脱力している。ケルンのエーレンフェルト地区にある、五年前に入居したときと寸分違わないわたしの二間のアパート。雨ざらしになっているわたしの自転車。コーヒーが冷めない距離にあるオフィス。どれも別世界だ。そのイメージがみるみる色褪せていく。

「ファリーバー？」

彼女はすぐには反応しなかった。いまだに涙をこぼし、ハンカチで顎のあたりを拭いている。

ハンカチには黒い筋も灰色のシミも、それこそなにも見当たらない。

「なにかしら？」

「なんでこっちの化粧は落ちないの？」

「みんな、パーマネントメイクアップ〔皮膚に色素を注入して、おもに眉やアイラインなどを描く施術〕をしているからよ」ファリーバーはわたしのほうを見る代わりに、膝にのせてある濡れたハンカチのシワを伸ばした。「あなたのおばあさんもパーマネントメイクアップをしたがっていたわ。十日後に予約を入れていたはず」ファリーバーは目を閉じて首を横に振った。

　これまで会ったことのない四十代半ばの女性が居間に入ってきて、母のところへ行くと、母を抱きしめて、大声で泣きじゃくった。その女性はそのあと母から離れると、居間の真ん中によろよろと進み出て、掌《てのひら》で右左と自分の頬を叩いた。その拍子に、黒いベールが床に落ちた。ほかの弔問客がおしゃべりや食事をやめて、その女性を見た。まるで待ちに待った幕間劇が始まったとでもいうように。わたしは笑いを堪《こら》えきれず、うつむいて急いで手で顔を隠した。これ以上笑いを堪えていたら、顔が壊れてしまいそうだ。肩が上下に揺れ、唇をかんで、ケルンに残してきたヤンのことを思った。いま思いつくもっとも生真面目な人だからだ。目の端で、母も同じ状態であることに気づいた。その知らない女性が自分の頬を真っ赤に腫れるほど叩くと、ふたりのいとこが腰を上げ、女性の両手をつかんで、落ち着くように諭した。女性はしゃがみ込むと、おばあちゃん《マーマーン・ボゾルグ》と叫んだ。

「わたしが困ったとき、いつも助けに来てくれた！」

祖母が助けに来る。なんてことを言うのだろう。これほど葬儀にふさわしくない言葉はない。

わたしは野良犬でも相手にするようにその女性の言葉を追い払った。

「あなたの心とドアはいつも開かれていた」

祖母はたしかにすぐ人を中に入れたが、追いだすのも早かった。けれども野良犬のようにおこぼれを頂戴しようとする者はどんなに鞭打たれても気にしない。

「家族の中であなたほど気前のいい人はいなかった」

気前はよかったかもしれないが、人を呪うことにかけても人後に落ちなかった。それでも懲りずに戻ってくる者がいる。

「あなたはどんなことにも理解があった」

とくに他人の落ち度に対しては。でも野良犬然とした者は腹をすかし、生きるか死ぬかの瀬戸際だから他人のことなど気にしていられない。

「あなたは娘と孫娘のために自分を犠牲にした」

母とわたしは目を見交わした。とうとう野良犬が牙をむいた。いや、これはもう犬ではなく狼だ。

いとこたちはその知らない女性に話しかけ、両脇を支えて、台所に連れていった。

「あれは誰？」わたしの頬が火照っていた。

「よく知らないわ」母は顔を手でぬぐい、深呼吸した。この騒ぎで、母の心になにかのスイッチが入ったようだ。「いとこの誰かの娘だと思う。訊かないで」

父が埋葬されたときも、父と同い年くらいの女性が現れ、同じような騒ぎを起こした。わたしはそのとき衝撃を受けた。その女性はあきらかに父と親しかったらしく、父の死で平静さを失っていた。それなのに一度もその人の話を聞いたことがないのだから、不思議でならなかった。

カナダから駆けつけてきたおじが、ショックを受けているわたしに気づいて、耳打ちしてくれた。

「男と縁のなかった女の中には、自分の運命を大声で嘆きたいがばかりにありとあらゆる葬儀に顔を出す人がいるんだよ」

父の兄であるおじは、上品な人だった。祖母だったら、別の言い方をしただろう。

「コス（陰部）がうずくから、騒ぎを起こすのさ」

コスは祖母のお気に入りの言葉だった。自慢の緑の瞳や、右の肩甲骨にあるハート型のアザや、ほかの人の足の指が目立たなくなるほどの大きな足の指などと同じように祖母の一部だったと言える。

コス。わたしは小声でそう言ってみる。数学者が生涯をかけて追究していた数式を見つけたときのように。ファリーバーが一瞬、母の手を撫でるのをやめた。声が聞こえたのだろう。そして信じられなかったのだ。だが、なにもなかったように振る舞っている。そのとき、わたしはいままでしたことのないことをした。コスという言葉をドイツ語に翻訳したのだ。

3　コス ――陰部――

深夜になるころ、最後の弔問客に別れを告げた。わたしたちは居間に戻って、周囲を見まわした。テレビがなくなった部屋は閑散としている。まるで隠し部屋かなにかのようだ。

「ホテルに戻る？」

「そうして！」

わたしたちは残ったティーグラスを集めてすすぎ、必要なものをスーツケースに詰めた。母は大きな茶封筒をハンドバッグに押し込んでから明かりを消して、閉じた玄関をじっと見つめた。

「さっきの封筒の中身はなに？」わたしはエレベーターの中で訊ねた。

「証書と古い写真。あとでゆっくり見たいと思って」

「持って帰るのはその封筒だけなの？」

「アクセサリーはいとこたちに配ったわ。あとは……おまえのおばあちゃん《マーマーン・ボゾルグ》は昔を懐かしむような人ではなかった。知っているでしょう」

タクシーは人気のない通りを滑るように走る。センターラインはまるで初心者向けのガイドラインのようだ。運転手は錆だらけの車のラジオから甲高く聞こえる「ジェロニモズ・キャディラック〔ドイツのポップデュオ、モダン・トーキングの曲〕」に合わせて鼻歌を歌った。だが車内に差し込む街灯の黄色い光が別のリズムを作っていた。ときおりチャードルを身につけた女性がスクーターに乗ってすれ違う。信号で止まると、運転手は左右を見て、信号待ちをしているのが誰か確かめた。

母がフロントで宿帳に記入しているあいだ、わたしはロビーで無線LANにログインして、スィヤーヴォシュにEメールを書いた。喧嘩別れしたあと、わたしはイランに来るたびに連絡を取ろうとして、結局そのままにしてきた。これが最後の機会になるだろう。

スィヤーヴォシュ、いまイランに来ている。あさってテヘランに着く。会える？　もうわだかまりはないわ。九年も経てば、ほとぼりが冷めるから。マシュハドのホテル・ラーレフに投宿する。電話かメールを待ってる。

チューベ・ド・サル・ゴヒー（両端に糞がついた棒）より

追伸　無視しても無意味よ。最近あなたが書いた記事を読んだ。

わたしたちは客室を二部屋取った。わたしの寝相が悪くて、寝返りばかり打つ、と母に言われたからだ。廊下で別れるとき、母の額におやすみのキスをした。どうしてそんなことをしたのか、自分でも分からなかった。母はわたしを見て、唇を引き締めると、片手でわたしの頬に触れた。

「おやすみ」そう言うと、わたしは母に背を向けた。

客室に入ると、まず暖房の温度を下げ、服を脱いで下着だけになって、ダブルベッドの真ん中に倒れ込んだ。マットレスがわたしを包み込む。仰向けになったまま、天井の壊れたハロゲンランプの数を数えた。

コス（陰部）。祖母はその言葉を日に何度も使った。あたかもビタミン剤を日に何度ものむような感覚で。だが男性のいるところでは決して口にしなかった。わたしの記憶では、その言葉を口にするとき、そばに男性がいた例しはなかった。祖母はこの言葉をこんなふうに使う。

「ファリーバーにはやさしくてハンサムな旦那がいて、金にも困っていない。たぶんすごくいいコスを持っているんだろうね。顔がかわいいわけじゃない」

あるいは、わたしの母との会話の中で。

「キュウリを入れてくれない？」

「どこに？」

「だからそこよ！」

「どこのこと？　わたしのコスに入れろって言うの？」

冗談を言うとき、祖母は必ずこの言葉を口にする。

こんなジョークを覚えている。

「ある男が路上で女の股に手を入れた。女は悲鳴を上げた。

『助けて。この人がわたしの陰部に触った！』

風紀警察が来て、目撃者に事情聴取をする。目撃者が言った。

『見ましたとも。そこの男がこの女性の……ええと……その……なあ、コスをなんて表現したらいいかな？』」

こういう冗談を言うたびに、祖母はわたしの上腕をつねる。それも少なくとも三回続けて。

膝がまだしっかりとしていて、難なく歩けたころ、祖母は一、二年ごとにドイツにやってきて、三ヵ月ほど逗留した。わたしがまだ就学年齢に達していなかったころ、祖母がコスについて説明してくれた。

「コスが普通に見せられるものだったら、神さまは眉間につけてくれたってよかったはず」と言って、祖母は眉間を人差し指でぐりぐり押した。「なのにコスを股で隠した」そう言いながら、祖母はかなり乱暴に自分のコスに手をやった。わたしはなるほどと思った。

けれども、説明が中途半端だったので、長いあいだ、わたしはコス〔陰部〕がなにを指すのか知らなかった。なにか特別なものだという予感はあったが、パズルのピースが欠けていた。祖母はそれからも、コスに対するわたしの関心を呼び覚まし続けた。おじいさんにそこをつかまれたことがあってねと言うと、祖母はいわくありげな目をして、人差し指でわたしの前腕を短く、だが強く押した。そうされると、いつも鳥肌が立った。それがどうでもいいことなら、どうしてそんなことをするんだろうと、わたしは不思議でならなかった。

コスと対をなす男根を意味するペルシア語の単語を知ったのは、ずっとあとになってからだ。大学入学資格試験に向けて勉強していたころだ。その単語が飛びだしたのは、アラブ人のことで話が盛り上がっていたときだ。イランの女たちのあいだでは、アラブ人のペニスが特大だという噂が立っていた。シリアに巡礼に行った祖母の知り合いが本当だと言い張った。

「モスクでひざまずいてお祈りをしていたときのことだけど、『全能の神！』と神さまに気持ちを届けようとふと見上げたら、天井のシャンデリアに乗って、クリスタルガラスを磨いているアラブ人がいたんだよ。そのアラブ人はトーブ〔湾岸アラブ諸国で着用される男性の民族衣装〕の下になにも穿いていなかったんだ」。その女の親戚たちが相槌を打った。「だから丸見えだった」

祖母はなにかというとこの話をした。わたしは最後まで居たたまれなかった。

一九八〇年代の終わりにようやくテレビが家に来てから、祖母は訪ねてくるたびに夜遅くまでわたしを付き合わせた。祖母の望みがなにか察して、ＲＴＬ〔ドイツの民間放送局〕のチャンネルを選んだ。そこではソフトポルノが放映されていた。祖母は毛布を頭からかぶって、「あんたは見ちゃだめだよ」と叫び、なんて破廉恥なの、とんでもない、男も女も恥を知りなさい、これじゃケダモノよ、イランでは処刑されるわ、などと悪態をついた。祖母といっしょにテレビで映画『ラストタンゴ・イン・パリ』〔男女の情熱的な性愛を描いた一九七二年の映画〕を鑑賞したので、祖母のこうした物言いには慣れていた。祖母は「おおやだ、恥ずかしい！」と叫びっぱなしだった。下唇をかんで、左右の手で顔を叩いたが、チャンネルを変えろとは決して言わなかった。

ドイツで友だちだったクララには、コスが陰部のことだと教えた。もっとぴったりの言葉を当時のわたしは知らなかった。わたしたちはファッションショーをして遊んでいた。クララはいつものように素っ裸になって家の中を走りまわった。ちょうど訪ねてきていた祖母がわたしの子ども部屋でお得意の眉間と股間の話をクララに聞かせた。クララはなんのことを言っているのか教えてくれと祖母にせがんだ。わたしが小声で「陰部」と言ったのをいまでもよく覚えている。わたしはうつむきながら言った。しばらくのあいだクララの物問いたげな視線がわたしに向けられているのを感じた。そのあと、その視線は祖母に向けられた。祖母は祖母で、にやにやしながらクララを見ていた。

その後数日のあいだ、クララは休み時間にわたしの机に来ることがなかった。その代わりに、担任の女教師が「生活科」の時間にわたしに当てつけるかのように言った。

「私たちの性器、ヴァギナとペニスは普通の部位です。良くも悪くもありません。わたしたちの一部であり、もっとも自然なものです」

　わたしの手元には「生活科」のノートが開いたままだった。前の授業時間ではキク科植物の説明をしていたのに。

　クララはその後、バービー人形で遊ぶために何度か家に来た。クララは自分ではバービー人形を持っていなかったのだ。彼女の母親「シュテフェンスおばさん」はクララの子ども部屋のドアに、バービー人形にバツ印を付けた張り紙をしていた。わけが分からなかった。わたしの母も、その張り紙の意図を説明できなかった。考えてみると、クララのところでは、うちと違うところがいろいろあった。シュテフェンスおばさんが遊び場にいるクララを迎えに来たとき、Tシャツの中で上下に揺れるおばさんの胸が遠目に見えた。おばさんはクララのお父さんと結婚していなかった。クララはお母さんをマルギット、お父さんをライナーと呼んでいた。

　当時のわたしは、母親には二通りあると思っていた。化粧に余念がない母親と化粧をしない母親。いつも料理に励むけど、子どもに関心を示さない母親と、料理はしないけど、子どもになんでも包み隠さず話す母親。おばあちゃん《マーマーン・ボゾルグ》と母さん《マーマーン》は前者で、シュテフェンスおばさんは後者だ。父が付き合っていたドイツ女性のスヴァンチェも後者だ。スヴァンチェは同志だ、と父は言っていたから、シュテフェンスおばさんも同志に違いないとわたしはにらんでいた。この二通りの母親が互いに接点を持てるとは、わたしにはとうてい思えなかった。別の銀河系で生きているようなものだったからだ。わたしの母とスヴァンチェがいっしょにいるところを、わたしは一度も目にしたことがない。
十五、六歳のころ、クララとわたしには距離ができた。クララはビキニのファッションショーでランウェイ〔ファッションショーの花道〕を練り歩くようになり、わたしはヘルマン・ヘッセを読みふけり、窓を叩く雨の滴を何時間でも見ていられるような娘になった。大学入学資格試験のあとクララは演劇・映画・テレビ学を専攻した。偶然キャンパスで出会ったとき、いっしょにコーヒーを飲み、お互いの人生の違いに驚いた。二十四歳のとき、クララはわたしを結婚式に招待した。相手はポーランド系の連邦軍将校だった。そのあとはまた違う人生を歩んだ。再会したのは十年目の同窓会だった。わたしたちはバーのスツールに並んで座った。お互いにしばらく話しかけることはなかった。わたしは何度か話の糸口を見つけようとしたが、うまくいかなかった。クララは何度も姿勢を変えた。わたしはなるようになるしかないと思った。
「いまでもモデルをやってるの？」ほかに聞きたいことが見つからなかった。

「もうやってないわ」クララはため息をついた。

「大学のほうは？」十年目の同窓会で訊く話題ではなかった。

「次の学期で卒業する予定。四年前に娘が生まれて、四ヵ月前に息子が生まれた」

「四ヵ月前？　おめでとう」

「ありがとう。今日は出産後はじめての外出なの」

赤ワインのグラスを上げて、乾杯の仕草をすると、クララは足を組んだ。穿いているのは杏色のタイトなスリムジーンズだ。クララの顔も同じようにスリムで、頭髪の生え際がかなり後退している。子どものころは、彼女のシルクのようにしなやかな髪に嫉妬したものだ。動くたびにポニーテールが楽しそうに跳ねた。だがわたしの髪ときたら、コンクリートのように肩に貼りついて動かなかった。ポニーテールにしたこともあるが、得体の知れない力で頭を後ろに引っ張られるような感覚を味わい、頭痛に襲われるし、ヘアバンドで結んだあたりの筋肉が凝ってしかたがなかった。

「子どもをふたり抱えると、勉強の時間なんてほとんど残らないのよ」クララは大真面目に言った。「夫はアフガニスタンに派遣されてる」

どう反応したらよかっただろう。お気の毒。気になる。夫が稼いだ金で悠々自適かと訊くべきだろうか。だが質問するまでもなく、クララはしゃべり続けた。

「そういえば、あなたってアフガニスタン出身じゃなかった?」

「イランよ。お隣」

「あらそう」

クララは赤ワインをなめるように飲み、しばらくグラスを口につけたままにして、それからぐいっと飲んだ。

「ねえ、あなたのおばあさんがわたしたちに陰部の話をしたのを覚えてる? 臭いから股に隠しているんだっけ?」

「臭いからじゃないわ。見せるものじゃないからよ」

「寝るときにそのことを母に話したのよね。母はわたしの身体のいろんなところにおやすみなさいを言うのが習慣だった。馬鹿げてるでしょ」クララはくすくす笑った。「それで母が股におやすみなさいと言ったとき、あなたのおばあちゃんが言った眉間の話をしたの。そうしたらすごい剣幕で怒ってね、もうあなたとは遊ぶなって言われた。母はひどい女性観だ、学校に訴えるとも言った。実際その晩、わたしたちの担任に電話をかけて、大声で……」

今度はわたしが赤ワインをぐいっと飲んだ。

「子どもの名前は？」

「わたしの子？　女の子はマリー、マリー＝ルイーゼ。男の子はコンスタンティン」

「いいわね。あなたのお母さん、孫ができて喜んでいるでしょう」

クララは押し黙り、結婚指輪をいじった。

わたしたちは同時に赤ワインを飲み干した。わたしはトイレに立った。手を洗い、鏡を覗き込むうちに、担任の教師が授業中にそばを通るたび、落ち着かなくて腰をもぞもぞ動かしたことを思い出した。目立たないようにしてもだめだった。わたしは悪い子のレッテルを貼られていた。

そういえば同窓会の数週間前、同じように落ち着かなくて腰をもぞもぞさせたことがあった。わたしは知人が受けた博士論文の面接試験を傍聴した。論文タイトルには「他者認識」と「自己認識」、「ムスリマ〔女性のイスラーム教徒〕」と「ドイツ」といった単語が並んでいた。数分後、不快だと感じた理由が分かった。わたしの他者認識と自己認識が研究対象で、そこで言うムスリマとはわたしだったからだ。わたしは講義室から出た。知人が「ムスリマ」と言うのを聞いただけで虫唾《むしず》が走った。ドイツではみんなが正しいことをしようと努力している。それが耐えられなかった。防音加工してあるどっしりしたドアを閉め、ひとりで廊下に立ったときに思った。陰部を意味するペルシア語の単語を幼いころから知っていることを、みんなが知ったらどう思うだろう、と。

　娘の名誉を汚したため、ある男が法廷に立たされた。裁判官は高額の罰金刑を科した。男は質問した。
「すみません、裁判官殿、処女膜の一メートルあたりの単価はいくらですか？」

　祖母は最後の言葉を三度繰り返し、腹を抱えて笑った。
祖母の思い出の数々が胸中にあふれだし、それらが交じり合い、大きな流れとなっていった。わたしを現実に引き戻したのはムアッジン〔イスラーム教の礼拝時刻を告げる役を担う人〕だった。愛想笑いすらしないのに尊敬される教師のように、乱暴ではないが、有無を言わせなかった。わたしは目を開けた。どこにいるのかしばらく分からなかった。イラン、マシュハド、ホテルの客室、ダブルベッド。イランでムアッジンの声を聞くのははじめてだ。イスタンブールやダマスカスやマラケシュでしか聞いたことがない。イランでは、不動産価格や美容整形についてのおしゃべりにまぎれて、その声を聞き逃していたようだ。わたしは起きてカーテンを開き、十階からの眺めを楽しもうと思った。人々が道を歩いているのが見えるはずだ。高い失業率の中、どこへ行くのか知らないが。

わたしはベッドに横たわったまま、毛布を払い除《の》けたが、それ以上のことをする気にはなれなかった。毛布はダブルベッドと同じ幅だ。短い夜のあいだにシワが寄ることはほとんどなかった。わたしの身体は肩から下が砂糖菓子のようにかちかちに凝り固まっていた。

固定電話の呼出音でふたたび起こされた。デジタル呼出音になった初期のころの音だ。最初は受話器を取るつもりがなかったが、スィヤーヴォシュかもしれないと思って受話器に手を伸ばした。

「もしもし?」

「モウナー?　やっと出たか!」

スィヤーヴォシュではなかった。声ですぐに分かった。すこし高めで、若々しい。ラーミーンだ。老けたはずなのに、声がすこしも変わっていない。このままだといずれ異様なことになるだろう。十五歳の声でしゃべる老人なんて。

「ラーミーン、どうしてここが分かったの?」

「友人が内務省にいて、きみが入国したことを教えてくれたのさ」

わたしは一瞬、考え込んでしまった。ラーミーンが吹きだした。イランにいると、本当と嘘の区別がつかない。それが一番腹立たしい。ドイツでは誰もこんなふうにからかわない。

ラーミーンは笑うのをやめて言った。

「スィヤーヴォシュから聞いたんだ。今朝、記者会見場で会ってね」

「七千万人が暮らす国にしては、ずいぶん情報が早く伝わるものね」

「こっそり入って、またこっそり出ていけると思ったのかい？」ラーミーンはいつのころからか、わたしの愛想のなさをからかうようになっていた。うまい言い方だ。その点で、彼は世界記録保持者だ。

わたしはわざと大きくため息をついた。

「子どもっぽいことをして、ごめんなさい」

沈黙。

「おばあさんのことは残念だった」

「どうして分かったの？」

「そうでもなかったら、こっちに来ないだろう？」

「なるほどね。でも祖母はいい人生を送ったと思う」

「お知り合いになりたかったな。おばあさんに雷を落としたかった」笑い声も十五歳の少年みたいだった。「きみが堅物になったのはおばあさんのせいだからな」

これをドイツ語に訳したら、背筋が寒くなっただろう。翻訳したりするものか。ラーミーンの言葉はペルシア語でしか聞いていられない。その言葉はわたしを軽い拷問にかける。こういうことを言いそうなドイツの男どもには路面電車の中で出会うくらいがせいぜいだ。それ以上近くには寄せつけない。

「鼻持ちならないのは祖母直伝だもの」

盗聴しているイラン政府の工作員は、この会話をどう解釈するだろう。半ば用心しつつ、ふざけながら、わたしは続けた。まるで税理士と話す感覚で。

「なんで電話をかけてきたの？」

「故郷に滞在中、どんな計画を立てているかなと思ってね」

「あさってテヘランに着くから、そのあと連絡する」

「分かった。ドイツに帰るのを延期してくれるかな。きみといっしょに取材がしたいんだ」

「取材なんて無理よ。監視されてるから」

「だけど最後の機会だぞ。それから携帯電話の電源を切らずにいてくれ」

「取材は無理。ドイツに帰らなくちゃ」

わたしは電話を切った。彼に電話をしなかったのは、会う気がなかったからだ。今回ばかりは会いたくない。最後の逢瀬、ウォーターベッドの上で別れを告げられたこと。それを考えたら会えるわけがない。それでもラーミーンから電話があったというだけで、身体中の血がざわつくのを感じた。「ドイツに帰らなくちゃ」という言葉がわたしの中で反響した。ひどい嘘だ。わたしは携帯電話を探し、コートのポケットに入っているのを見つけた。さっそく電源を入れてみた。ラーミーンからの電話が履歴にいくつも残っていた。そしてヤンからのショートメールも。きのうの午後四時をすこし過ぎた時間だった。

やあ、いま、きみのうちのキッチン。ＡＦのライブチケットはどこ？　早く帰ってこいよ。自分をラクダと交換しちゃだめだぞ〔「自分をラクダと交換する」というのは「気をつけろ」という意味のドイツ語の言い回し〕。

ラクダの言い回しが気が利いているとでも？　深夜にもう一通ショートメールが届いていた。

すごい、すごい！　ＡＦは最高。俺が欲しいなら、ラクダのことは許してくれ《イフ・ユー・ウォント・ミー、プリーズ・フォーギブ・ミー・ディー・カメレ》〔ブライアン・アダムスの曲「PLEASE FORGIVE ME」の替え歌。〕

わたしは朝食用のホールに入って、母がいるテーブルに着いた。

「眠れた？」母が訊いた。

「まあまあ。母さん《マーマーン》は？」

「まあ、今日はなんとか過ごせるでしょう」

ちょうど母にコーヒーを運んできた若白髪のボーイに、わたしもコーヒーを頼んだ。ホールにはわたしたちしかいなかった。わたしたちがカップを受け皿に置く音しかしない。黄ばんだシャツを着たふたりのボーイが音を立てないように気を使いながら、チーズやスクランブルエッグやフルーツのプレートを片付けはじめた。ビュッフェの食べ物が並べられた後ろの壁面は鏡張りで、巨大なシャンデリアの下にいる母とわたしが映っていた。今朝ここでどれだけの人が朝食をとったか知らないが、わたしたちはその残りカスのような気がした。

ピアノ曲が聞こえて、わたしたちは振り返った。さっきのボーイがピアノの横に黒いプラスチック製のシューズを置いて、ソックスのままペダルを踏んでいた。指が鍵盤の上を流れる。目は閉じていて、悲しい映画でも思い出しているような表情をしている。わたしたちはじっと座っていた。わたしの心はすこしずつ解けていった。

聞こえるかい　ナイチンゲールの鳴き声が
ああ！　君に訴えかける
甘く嘆くような響きで
ぼくの代わりに

ナイチンゲールは知っている

この胸の憧れを　恋の痛みを
銀色の音色で動かす
あらゆるやさしき心を

「……あらゆるやさしき心を」

母が怪訝な顔でわたしを見た。「シューベルトね」

二十代の半ばにテヘランで一年過ごしたとき、わたしは毎日シューベルトを聴いていた。シューベルトはイランにいても空虚にならない唯一の西洋音楽だ。だけど、たくさんのCDの中で歌曲集『白鳥の歌』だけは、イランを去るまで開封することなくスーツケースに入れっぱなしにしていた。それはフランクが持たせてくれたものだった。彼は地質学専攻のドイツ人学生で、そのころ数ヵ月付き合っていた。ちょうどカフェで彼と朝食をとっていたときに、買ったばかりのわたしの携帯電話が鳴った。

ローラント・ヒルベルトからの電話だった。わたしがケルンから寄稿していた全国紙の副編集長だ。

「きみはイラン人だったね？」

「イランで生まれました」

「仕事を頼めるかな？」

「いいですけど」

「テヘランの特派員がサポートを必要としている。ドイツ人実業家のヘルムート・バイヤーが逮捕されて大問題になりそうなんだ。興味はあるかい？」

「期間はどのくらいですか？」

「まずは六ヵ月。もしかしたら延びるかもしれない」

『ツァイト』誌の別冊を読みふけっているフランクを見てから、わたしは依頼を受けた。でもじつは四歳からこっち、イランに帰っていなかった。その代わり、中近東のほかの地域はあちこち旅行していた。モスクで過ごし、紅茶を飲み、スカーフをかぶり、ここととイランは違うだろうか、同じだろうかと自問し続けた。わたしはいつもイランを遠巻きにして、そのまわりをうろうろしたが、イラン自体に踏み入ろうとはしなかった。イランについてはわずかな記憶があるだけだ。月下香《げっかこう》、おばあちゃん《マーマーン・ボゾルグ》のヘアスプレー、当時は誰もが使っていたイランの洗剤の匂い。

記憶を上書きする潮時だった。

到着ロビーで待っている、とドイツの新聞の特派員スィヤーヴォシュはEメールで書いてきた。数日後、ケルン・ボン空港でイラン航空の旅客機に搭乗し、五時間後、テヘランの空港に降り立った。当然のことのように。髭をたくわえた片腕の係官にスーツケースの中をこまごま調べられたあと、わたしはゲートをくぐった。出口には家族連れが群がっていた。そこをかき分けて通り過ぎると、みんながわたしを見た。どの家族の一員だとでも問うように。わたしは人々の顔を見た。どの顔も知らないのに、なぜか全員を知っているような気がした。みんな、鋭い目つきをしていた。

スィヤーヴォシュは到着ロビーの壁にもたれかかっていた。足を交差させて、携帯電話の画面を見ていた。誰かを待ち焦がれているように見えないのは彼だけだった。わたしが目の前に立つと、彼は目を上げて、体勢を変えずに手を差し出した。

「やあ、精神科病院にようこそ」

ドイツ語でそう言うと、スィヤーヴォシュはにやっとした。口といっしょに鼻まで大きく広がったように見えた。会話はドイツ語でするのか、とわたしは思った。どう返したらいいか分からなかったので、出迎えを感謝する言葉を口にした。

スィヤーヴォシュの歩幅は思いのほか狭かったが、駐車場ではわたしを置き去りにして、自分だけですたすた歩いた。足裏の前半分だけを地面につけ、爪先立ちするような歩き方だった。わたしは錆びついた手荷物カートを押しながら彼を追いかけ、ペルシア語を話す人とすれ違うたびに振り返った。ここではペルシア語をなにはばかることなく使っていいのだと実感した。

車に乗ると、スィヤーヴォシュはまずネクタイの結び目をゆるめ、グローブボックスを開けて、アイスボンボンの袋を出して勧めてきた。わたしは丁重に断った。

わたしたちは交通量の多い道を北上した。高速道路に沿って土色の四角い建物が並んでいる。どの建物にもパラボラアンテナが付いていた。なかにはパラボラアンテナの横に羊がいる建物もあり、多くの家の屋根に洗濯物が干してあった。それから建物の壁に派手な色使いで描かれた巨大な髭面男《ひげづらおとこ》が次々と現れた。チューリップ畑の髭面男、鳩を飼う髭面男、機関銃を構える髭面男。

早朝の空は晴れていた。北にエルボルズ山脈が見える。テヘラン市の中心部に近づくと、建物は大きくなり、窓ガラスが目立つようになって、道が混んできた。わたしたちはスクーターに乗った家族連れを追い越した。父親がハンドルを握り、その後ろに子どもがふたり、そして最後に妻が乗っていた。子どもが大きくなったら、母親の後ろに子どもを乗せることもあるという。そう聞いて、わたしはペルシア語に「死角」を意味する言葉があるか考えたが、答えは見つからなかった。それから街区の標示を読み取るように心がけたが、うまくいかなかった。どの文字が語頭だろうと考えているあいだに、通り過ぎてしまったからだ。

「ここでは浮沈が激しい。四六時中、どこかの編集部にガサ入れがある。それからバイヤーという逮捕されたドイツ人のニュースを取材して、本にまとめるように言われている」スィヤーヴォシュが言った。

「わかりました。いつから始めますか？」

「今日は休んでくれ。あす九時に迎えに行く」

スィヤーヴォシュは女子学生寮の前で車を止めた。わたしが滞在中に住む部屋をそこに予約してあった。スィヤーヴォシュはわたしのスーツケース二個を玄関に置いた。

階段室ではフェネグリーク〔イラン料理によく使われる香辛料〕の匂いがした。誰かがゴルメ・サブズィー〔牛肉や羊肉を使ったイランの煮込み料理〕を調理しているようだ。黒いチャードルを身につけた太った受付の女性が部屋に案内してくれた。その部屋には二段ベッドが二台あった。ナイトテーブルと戸棚はふたつずつで、さらに明るい色の木で作った机がひとつあった。

「左側の下のベッドがあなたのです」受付の女性が言った。

手配したのは専用のベッドではなく個室のはずだ。そのことを言うべきか迷ったが、その部屋にはほかに誰も宿泊していないようなので、黙っていることにした。受付の女性が出ていくと、コートと靴を脱いで、横になった。毎夜この二段ベッドに横たわり、読書をしたり、音楽を聴いたり、あるいはただ上段のベッドの錆びたフレームを見つめるだけの自分を思い描いた。しかし、なんだかとんでもない勘違いをしていたようだ。

朝食が片付けられ、ビュッフェコーナーに花が飾られると、先ほどのボーイが最後の鍵盤を叩いた。しばらくピアノの前にじっと座っていたが、それからスローモーションの映像のようにゆっくり靴を履いた。猫背になってフロントへ行くと、ほかのボーイと同じようにしゃきっとなった。制裁〔一九七九年のイラン・イスラーム革命以来、西側諸国が制裁措置を講じている〕を受けているイランの第二の都市の最高級ホテルのボーイ。母が拍手をした。わたしもいっしょに手を叩いた。だがボーイはすでにフロントの控え室に下がっていた。

フロント係が明日のテヘラン行きの列車を予約してくれていた。母は出発する前にイマーム・レザー廟を訪ねたいと言って、ホテルのショップでチャードルを二枚買った。部屋で母がチャードルの付け方を教えてくれた。だが母もひさしぶりで忘れているところがあり、わたしのチャードルは三歩歩くと落ちてしまった。わたしたちは向かい合わせに立った。ふたりとも黒い布を頭からかぶっている。気持ちを集中させ、顔が隠れるようにし、髪を耳にかけ、首元の結び目をゆるめた。心地よかった。触れ合いとやさしさ。母はわたしの髪が知らない男の目にさらされないように気を配っている。そして黒い布の上からわたしの頭を撫で、わたしのざらついた心をおだやかにしてくれた。だが、鏡に映った自分の姿を見て、そんな気分も吹き飛んだ。わたしのチャードル姿が恰好だけなのは、誰の目にもあきらかだ。

「大丈夫よ。門番の目をごまかすだけでいいんだから」母はそう言って、ホテルの前でわたしをタクシーの後部座席に押し込んだ。

イマーム・レザー廟の女性用の狭い入口に門番の女たちが座っていた。わたしたちのいい加減な服装に不満なようだった。手袋をはめた手で不機嫌そうにボディチェックすると、中に入るように指図した。

わたしたちは霊廟前の大きな中庭に出た。黄金の丸屋根が幾重にも光を照射され、暗い夕空に輝いている。そちらへ向かって歩いていると、母のチャードルが落ちて、鏡のように磨かれた石畳の上をあたかも漆黒の天使のように滑っていった。

霊廟の入口に巡礼者がたむろしていた。霊廟の近くまで辿り着いた者たちは墓をぐるりと囲む黄金の格子に手を伸ばしている。母は聖墓に興味を示さなかった。わたしたちはモスクへ進み、静かな一角を見つけて腰を下ろした。絨毯がいたるところに敷いてあり、長旅で疲れたのか、熱心な宗教心からか、女性たちが固まって座っていて、子どもがバッグやコートの上で寝ている。車椅子に座ったままうたた寝している老女もいる。わたしたちの隣では、巡礼者らしいおおぜいの女性が輪になって座っていた。輪の中には松葉杖の少年がいた。少年は女性の膝を枕にして横たわっている。女性は母だろう。身体を前後に揺すりながら、少年の髪を撫で、歌うように祈っていた。

わたしは背後の壁に頭をもたせかけた。モスクに入るときは抵抗を覚えるのが常だが、いったん入ってしまうと、出たくなくなる。巨大な毛布の上をはいはいする赤ん坊になったような気がするからだ。お乳、ベビーパウダー、おむつ。できることなら数日は絨毯に寝転がっていたい。日中は、どんな人間関係よりも複雑に絡み合うアラベスク模様のシンメトリーに圧倒されながら過ごし、夜は、枕も毛布もなしで赤子のように眠る。母親の胸でうとうとしながら、目を開ければ温かい乳がもらえる夢を見る赤子のように。

4　ハーステガール
――求婚者――

「夜に咲くバラのように美しいお姫さまが結婚したい旨を世に知らしめ、ハーステガール（求婚者）として名乗りでるようにと財産家の求婚者を呼び集めた。国中から名にし負う貴族が馳せ参じ、お姫さまのために行列をつくった。その中に醜い男がひとり交じっていた。背も小さく、異様な体つきだった。ほかの求婚者が男に訊ねた。『なにをしに来た？』男が答えた。『おいらと結婚しなくていいと伝えに来ただけさ』」

　みんなが笑った。これがマンガの中だったら、客車のコンパートメントが笑いでどっと揺れるところだ。マフヌーシュは座席の背もたれに身体を預け、頬を輝かせながら、このジョークを話した。彼女は三十一歳で、わたしよりすこし背が高く、小太りで、小さな口のわりに唇が厚い。祖母ならきっと気に入っただろう。

コンパートメントのドアを叩く音がした。母とわたしはすかさずチャードルに手を伸ばした。わたしの向かいの窓際に座っていたマフヌーシュは、オリーブ色のカーテンで頭を隠した。薬剤師だというすこし年配の女性は、アナール（ザクロ）の皮をむくために膝にのせていたナプキンを頭にのせた。乗務員が紅茶を四人分持ってきて、またドアを閉めた。薬剤師はアナールを割って、わたしにひとかけ差し出したが、わたしが再三断ったので、マフヌーシュにそれを渡した。

「結婚しているんですか？」マフヌーシュがアナールをかじりながら訊いてきた。

「わたし？　まさか」わたしは答えた。馬鹿な質問だと言っているように聞こえただろう。

「三十になっても結婚しないのは、ドイツでは普通なんです」母が口をはさんだ。

「母さん《マーマーン》！」わたしは抗議した。

「結婚する機会に恵まれなかったと思われるのは心外でしょ……」

「気にしないでください。わたしも結婚していませんから」マフヌーシュがまたわたしのほうを向いた。わたしの口から出る言葉なら、どんなものでも刺激的だろうと期待している。「ドイツでは結婚する機会なんていくらでもあるんでしょうね。アーザーディー（自由）がありますから」

若いイラン人女性は自由が話題になると、みんな、目を輝かせる。手の届かないブランド品の話をするみたいに。つまりアーザーディーはルイ・ヴィトンのバッグと同じなのだ。

「機会はあります。多すぎるくらいに」そう答えると、マフヌーシュが怪訝な顔をしてわたしを見た。

「でも、まず性格が合わないと」わたしはあいまいに言った。

「なるほど。この国の若い娘たちにも、ハーステガール（求婚者）が多くて選ぶのに困る場合があります。ハーステガールが戦没者の場合ですけど」

マフヌーシュは、数年前まで女友だちとよくテヘランの殉教者墓地を散策していたという話をした。殉教者墓地には、イラン・イラク戦争〔一九八〇年から一九八八年にかけて、両国間で行われた戦争〕の戦没者が埋葬されている。わたしもそこで、ガラスのケースに収められ墓石にぶら下げられた戦没者の写真を見たことがある。戦没者の肖像写真といえば、ドイツではモノクロと決まっているが、こっちではカラーだ。しかもパステルカラーで処理され、日に当たって経年劣化し、色褪せていく。記憶と同じように、写真の中の戦没者もそのうち輪郭が失われるのは目に見えていた。だが、まだそこまでは行っていなかった。戦没者が生きていたら、と仮定法で語れる人がまだ存命中だ。写真の中の若者たちはいますぐ起き上がって、土を払いそうなほどリアルだった。きっとズボンのポケットから車のキーを出し、駐車場に止めた錆びたペイカン〔一九六七年から二〇〇五年までイランで生産されていた乗用車〕のアクセルを踏んで、ハーステガールとして誰かの玄関の前に立つだろう。ちょうど写真を撮影したころにファッションに目覚めたのか、彼らは最近まで流行っていた髪型をしている。女の子とキスをすることしか頭になかったような若者が前線に送られたのだ。どんな思いでいたのか気になった。ほとんどの若者が自分の身になにが起こるか気づいていなかっただろう。なにかに胸を熱くしているような、夢見がちな表情。線香花火に魅せられた子どものようだ。撮影されたとき、多くの者はまだ唇の上に産毛しか生えていなかった。

「地雷を踏んだり、毒ガスを吸ったりしなければ、いまごろ父親になっていたでしょうに」マフヌーシュは言った。女友だちと殉教者墓地を散策するたび、ふたりで戦没者の誰かを選んで、もしいっしょに人生を歩んでいたらどうなっていたか想像したという。誰となら幸せになれたか。誰となら国外に移住したか。日頃やさしくても、いずれ麻薬中毒になるのは誰か。妻を殴るのは誰か。妻に殴られるのは誰か。離婚するのは誰か。朝、口臭がひどいのは誰か。

「墓地から出るときはいつも殉教者の泉のそばを通ったわ。最後に訪れたとき、友だちは言った。『泉から流れだす血は戦没者の血ではないわ。この国のすべての未婚女性の月経で流れた血よ』」

わたしの母と薬剤師は笑った。わたしはすこし口をゆがめただけだった。ジョークはもうたくさんだった。

「男を追いかけたりしないで、自分の道を進んだほうがいいわよ」薬剤師が言った。

「殉教者墓地の散策はとっくの昔にやめたわ」

わたしが笑えたのはそこだけだった。

「まっとうなハーステガール（求婚者）なんてもういない。昼間はタバコ、夜はアヘン。マザコンか失業中、あるいはその両方」薬剤師はアナール（ザクロ）の種がポトポトこぼれ落ちるのもかまわず、果肉を取り出そうとしきりに手を動かした。

わたしは頭を窓にもたせかけて、外を見た。列車はメロン畑の中を疾走し、速度を落として小さな集落を抜けた。ふたりの警官が線路ぎわにいて、異様に大きな帽子を手にして、左右に投げキスをした。そばを通り抜けた公園には、ティーポットの形をした小さな家が建っていた。円陣を組んで、気合を入れている思春期の少年の集団や、壁に白いペンキを塗っている白髪の老人が目にとまった。そしてまたメロン畑。

列車はまた速度を落とし、灰色の平屋が密集しているところに着いた。数人の男が下車して、タバコに火をつけた。そのうち、誰かが言った。

「なんで発車しないんだ？」

列車から誰か男が答える。

「運転手がメロンを買いたいんだろう」

どこからかまた声がする。

「運転手は母親のところでナスのシチューを食べてるのさ」

わたしたちのコンパートメントにいた薬剤師が言った。

「運転手はグリーンカード〔アメリカ合衆国で発行される永住者カード〕を手に入れて、アメリカに逃げたんじゃないの？」

列車はまた動きだした。風景は彩りをなくし、草原に変わった。木も家も人も羊も見えない。

目にとまるのは、まばらに生えている茂みだけ。ほかにも草むらだったり、灌木だったりする。遠くの丘が地面に座っているゾウの群れのように見える。並行して伸びていた線路が突然分かれて、いずこへともなく消えた。朽ちかけた電柱にかかっている電線はもつれた毛髪のようだった。

わたしは目を閉じて、薬剤師の話を聞いた。女が買いに来るのはたいていい抗うつ剤で、男は強壮剤だという。

「いま若かったら、独身を通すわね。娘にはいつもそう言ってる。娘がハーステガール（求婚者）のことを話題にするたび、わたしはそいつを玄関で追い返すから、娘には大学を卒業してこの国から出ていけと言ってる」

時代は変わった。祖母の時代には財産目録で自分の価値を証明できるハーステガールがたくさんいた。祖母は、自分の姉の娘メリーカー、ニークター、アナ、スィーマーに群がる求婚者の数を正確に把握していた。

「メリーカーはブスだけど、電子工学の学位を持っている。ハーステガールはふたりいて、ひとりはやはり電子工学、もうひとりは物理学を専攻した。ふたりとも良家の息子だけど、物理学を専攻したハーステガールの父親はアヘンを吸っているように見える。それに親子ともにちんちくりん。小さいのは身体が半分地面に埋まっているせいね。

一方、ニークターは引く手あまただった。たくさんのハーステガールからひとりを選べる。あの子の目は緑色で、大学ではたしか文学を専攻した。父親は町の裁判官。最後に迎えたハーステガールはもうすぐカナダに移住するらしい。職業は医者で、情報科学を学んだ三人の兄はずいぶん前からあっちで暮らしていて、最新型の車を乗りまわし、家にはプールがあるそうよ。そのハーステガールの母親に写真を見せられたらしい。わたしの姉に挨拶に来たとき、母親はまだ三十歳に見え、紺色の身体にぴったりな服を身につけ、シャネルのハンドバッグを提げていたそうよ。

『ボディラインがすごかった！　あの年齢で！』姉さんがうっとりしながら話してくれた。そのあと率先してしゃべったのはハーステガールの母親で、父親は一言も話さなかった。そして父親はティーカップを持つ手がひどくふるえていた。それは変だって、わたしは姉さんに言った。将来の嫁よりも若く見える姑、ブルブルふるえる父親。わたしだったら、怪しいと思うね。

アナ、そう、アナは鼻がすこし大きかったけど、ニークターよりもずっと美人だった。それなのにやってくるハーステガールは信仰篤い連中ばかり。わたしの義兄さんが言っていた。『次のハーステガールもベールをつけた母親か姉を連れてきたら、もう家には入れない。ああいう連中がうちのソファに並んで座るのなんて見たくない。家族の祝いごとで問題ばかり起こすだろう。冗談じゃない』と言ってた。そのとおりだね。スィーマーの旦那が酒をやめるなんて考えられない。アナも母親ゆずりで曲がったことが大嫌いだからね。わたしが遊びに行って、義兄さんと冗談を飛ばし合うと、アナは必ず席をはずす」

　わたしは宿題そっちのけで祖母の前の床に座り、話に聞き入ったものだ。祖母が膝にのせた皿にはオレンジの皮が山を成していた。オレンジをひと房、わたしにも差し出すと、祖母は話を中断する。そしてわたしがそのひと房をさっと口に入れると、続きを話した。

「おまえなら」祖母はいきなりナイフでわたしを指して言った。「たくさんのハーステガール（求婚者）がやってくるだろうね。なにせ肌が白くて、これからきっと背が伸びる。それにナーゼミー博士の娘だ」

　わたしはそのときびっくりした。父の娘であることに意味があると気づいたからだ。

「おまえのハーステガールは博士号を持ち、金持ちのはずだ。結婚するときは、七日七晩祝うことになる」祖母は腰を上げ、皿を居間のテーブルに置くと、両手を広げ、手を回して電球を出し入れする仕草をした。「キュッキュッキュ。七日七晩、分かった？」

　わたしは祖母を見上げて笑った。祖母はカンカン踊りをするように足を蹴り上げ、両手で胸をつかんでリズムを取りながら足を左右交互に上げ下げした。わたしは両手で顔を覆い、指のあいだから覗いては、けらけら笑った。

「だからあまり遅く結婚しちゃだめ。いいわね？　わたしが年を取って、踊っているときにおしっこを漏らしたくない」そう言うと、祖母は夕食に使うハーブを刻むためにキッチンへ行った。

わたしはそのまま絨毯に座っていた。祖母の予言に無邪気に興奮して。しかし、所詮それは作り話。祖母が作ったわたしが主役の作り話。


肩幅のある緑色の瞳をした若者、大学出のその若者が、手に花束を持ち、質素だが、手入れの行き届いた小さな平屋の玄関前に立つ。若者の後ろには頭ひとつ分背が低い母親と、同じくらいの背丈で、すでにすこし腰が曲がった父親がいる。美しい若者は咳払いをして、ネクタイがちゃんと結ばれているか、もう一度確かめてから、ドアをノックする。心臓が飛びだしそうなほどドキドキしている。

求婚相手の母はドアを開けると、花束の大きさに驚き、「あらまあ！」と言って一歩下がる。花も恥じらう乙女で、ようやく大学生活一年を終えたばかりの娘は、キッチンから出てきて、玄関に立つ赤いバラの花束を持つ若者を見る。その若者が自分の母親の崇拝者とは思えない。それに母の日でもなければ、誰の誕生日でもない。だから娘は自分が目当てだと直感して、ドキッとする。すかさず自分の部屋に駆け込み、化粧台で軽く口紅を塗り、髪を整える。見ると、頰が紅をさしたように赤くなっている。娘は髪をくしけずり、ブラウスを撫でつける。

そのあいだに美しい若者とその両親はコートを脱ぐ。三人は居間に通されると、娘の母親が急いでカバーをかけた三人掛けのソファに腰を下ろす。美しい若者は新調したオーダースーツのズボンの糸がほつれているのを見つけ、それを指先でつまむ。若者の左側に座った母親は、すこしのあいだ三人だけになると、若者の背中を軽くさする。若者の右側に座った父親は、小さな目で居間の調度品の値踏みをする。

娘の母親は、昼寝をしていた夫を急いで起こし、娘は紅茶をいれるために湯を沸かす。

「起きて。ハーステガール（求婚者）が来たのよ。良家の美しい若者だわ」

母親は寝室から飛びだす前に、ちゃんとしたズボンとシャツに着替えろと父親に言う。父親はゆっくり起き上がる。そのとき子どもだったころの娘の姿が脳裏に浮かぶ。生まれたときには、すでに長い髪が生えていた。生後十六ヵ月でも、まだはいはいしていた。三歳のとき、家族でピクニックをし、小川で石を投げて遊んだ。学校に上がったとき、初日の最初の休憩時間に駆け足で家に帰ってきた。三学年か四学年のとき、学校で行われた演劇で小夜鳴き鳥《ナイチンゲール》に扮した。果物の皮が嫌いだ、と娘が言うので、ブドウの皮をむいてやったことがある。割ってあげたアナール（ザクロ）に娘がかぶりついたことがある。髪の毛が顔にかかると言うので、髪を切ってやったこともある。それから……。妻がドアを激しく叩く。夫は鏡の前で口髭をひねって、ため息をつく。あのおちびが年ごろなのは分かっていたが、この日が来ることを恐れていた。

娘の父と母は揃って居間に入る。娘はキッチンのドアのそばに立ち、聞き耳を立てる。

居間では挨拶が交わされる。双方の父親がていねいに話を始める。娘の母親は、美しい若者の母親のハンドバッグが本物のワニ革であることに気づく。

丁重な挨拶がすむと、その場は静かになる。キッチンにいた娘は息をのむ。それから美しい若者の父親が言う。

「今日、無礼を顧みず押しかけてきましたのは、ほかでもない、おたくのお嬢さんがとても気立てがいいと聞き及んだからなのです」

娘の父親は床を見てうなずく。というか、より正確にはうなずいたように見せる。だが彼を長く知る者でないかぎり、うなずいたとは思わないだろう。美しい若者本人が口を開く。なにを言ったか、娘は聞きそびれた。若者がなにか言いだしたとき、やかんが鳴ったからだ。娘は舌打ちすると、コンロに駆け寄り、やかんをコンロから下ろして、またドアのところに戻った。しんとしていて、なにも聞こえない。娘は茶葉をスプーンでポットに入れ、熱湯を注いですこし待つ。それからまたドアのところに戻ると、父親の咳払いが聞こえる。

「たしかに、聞き分けがよく、しとやかな娘です。娘のことで悩んだことは一度もありません」。全員がうなずく。「娘は自分で判断できる年齢です。もちろん結婚にはまだ早いですが」

母親がさらに付け加える。

「あの子の判断に任せたいと思います。娘には思慮分別がありますので」

娘は小さなチューリップ型のグラスに紅茶を注いでから、紅色のコーデュロイのスカートをすこし下げ、眉毛を撫でて、毛に乱れがないか確かめると、ティーグラスをのせた盆を持つ。娘は円形に並べた六つのグラスを見ながら、ゆっくりゆっくり歩く。娘が居間に入ると、みんな、押し黙ってしまう。美しい若者はちらっと娘を見てから、またズボンのほつれた糸に視線を戻す。息子の代わりに母親が娘をよく見た。姿勢がよく、身体の均整が取れていて、X脚でないのを確かめる。美人とは言えないけれど、感じがいいと思い、全体としては息子の選択に満足する。うちの子は欲がない、うちの子も面倒を起こしたことがない、と母親は思う。

娘の手はほんのわずかだがふるえていて、グラスになみなみと注いだ紅茶がすこしこぼれる。盆に紅茶の輪が広がる。娘は片足を折って座る。キッチンから居間までこんなに遠いとは思ってもみなかった。まるで人々が戴冠式に参集しているなか、自分が王冠を持って玉座の間を進んでいるようだ。まるで紅茶の王冠だ。テーブルに着くと、娘は目を上げ、そこにいる人たちを順に見る。娘の母親が若者の母親のほうにそっと顎をしゃくる。まるで作法の試験を受けているかのように奥ゆかしく若者の母親の前にグラスを置く。次のグラスは若者の父親の前。それから自分の母と父の前に置いてから、若者にグラスを差し出した。娘は指がこわばっているのを感じる。グラスを倒しそうになるが、若者がすかさずグラスをつかんだ。娘ははにかむ。やさしく、理解のありそうな目に笑みが浮かんでいる。その眼差しですべてが決まる。言うに言われぬやさしい感情の波が娘の心に湧き起こる。まだ一度も経験したことのなかった乙女の感情。その感情が娘の心を満たす。遺産相続人が数年ぶりに窓を開け、光が差し込んだ古い豪邸のように。娘は自分のこれからの人生を映画の予告編のように思い描く。純白のドレスの結婚式、ふたりの子ども、大理石の階段と鍛鉄《たんてつ》製の手すりがある屋敷、花と蔓《かずら》で飾られた大きな白い化粧台、大きな白い自動車、旅行、幸福、成功、愛。

娘は最後のティーグラスを取り、母のほうに身体を傾ける。少なくとも傾けたつもりになった。みんな、グラスの底をズボンやクッションでこっそり拭いてから紅茶をすする。そのあとなにを話したか、娘には記憶がない。娘の頭はカメラと同じだ。さまざまなシーンを捉えはするが、その中身までは処理できない。娘の本当の人生がこの午後から始まる。夢に見た人生。こういう美しい若者がドアを叩くのをずっと待っていた。そして現れた。思い描いていたとおりに若く美しい。いや、思っていた以上に美しい。運命が狙いすましたかのように送り込んだ……。

わたしはすぐにそれが作り話でしかなく、今後も作り話であり続けることに気づいた。わたしと祖母の空想の中では、ハーステガール（求婚者）が手を差し出す相手は、わたしではなかった。過去には、わたしに手が差し出される可能性があった。わたしが生まれた日にはそういうことが思い描けただろう。いや、そのときですら、もはや思い描けなかったかもしれない。物語は別の方向に枝分かれしたからだ。一九七四年に生まれたとき、わたしはすでに父が身を投じた共産主義革命の渦中にあった。わたしのハーステガール（求婚者）は革命によって奪われた。革命はすべての人からなにかを奪った。とくに信念を。それがどういう信念であれ。

「俺たちは皇帝《シャー》の申し出を受けなければならなかったんだ」父が突然そう言いだしたことがある。それもペルシア語で。病院に入院している父を見舞い、ベッドのそばに座り、なにか話題を振らなくてはと考えていたときだ。三十分前、父は、定職につけ、地に足をつけろとドイツ語でわたしを説得した。

「『革命の機運はもう押し止《とど》められない』皇帝はそう言った。しかし俺たちにはそれを理解する頭がなかった。俺たちは酔っていたんだ。自分に酔って、神になったつもりになっていた」

父は静かに話した。あたかも皇太子ででもあるかのような口調だった。

「俺たちはヘマをしたんだ。成功まであとすこしのところでヘマをした。俺たちは状況を把握していた。いや、そうじゃなかったかな？　把握してはいなかったか。把握していなかったのなら、事態は想像以上に悪かったことになる。中華人民共和国での研修を終えて去るとき、俺たちは言われたよ。『この部屋にＣＩＡに魂を売った奴が絶対にいると思ったほうがいい』。俺はその中国人の言葉を信じた。だが愚かすぎた。まさか俺の隣に座っていたキュロスがＣＩＡの手先だったとは。俺は自分が神だと思っていた。中国から帰った者はみんなそうだった。だがそのじつ、ただの操り人形だったのさ」

その直後、面会時間が終了した。わたしは父の頬にキスをした。父はひとり語りをやめ、軽く頭を上げて、わたしを見つめた。

「気をつけるんだぞ」父は頭を枕に戻して、目をつむった。

わたしが病室のドアを閉めようとしたとき、父がドイツ語でこう言うのが聞こえた。

「子曰く、身体髪膚《しんたいはっぷ》、之を父母に受く。敢えて毀傷《きしょう》せざるは、孝の始めなり」

灰色の長い通路をエレベーターまで歩きながら、わたしは自問した。それなら「孝」はどこで終わるのだろう。そもそも孝行などできるものだろうか。今度機会があったら、孔子の名言集を手に入れてみようと思った。


列車が止まった。目を開ける。コンパートメントの中は静かだ。薬剤師がわたしの横で寝ている。母が席を代わったようだ。マフヌーシュは頭をこっくりこっくりさせている。やがてマフヌーシュの頭が母の肩にのった。母も眠っている。わたしは母の顔を観察した。顔のしわにまだ墓地の土ぼこりがついているように見える。警察の路上検査で免許証が失効していることが発覚しても、母は最近までその美貌と少女のような笑みでその場を切り抜けてきた。

「おまえの母さん《マーマーン》は若いころ、光り輝いていた。道を歩いていると、男という男が振り返ったものさ。大理石のような肌、熟れたイチジクのような口、澄みきった夜空に浮かぶ三日月みたいなふたつの眉」

母の若いころを話すとき、祖母は、値段が急騰した絵を安値で売ってしまったことを悔やむ美術商のような口調になる。

わたしの肌の色はどちらかというと土気色だ。わたしの顔に祖母はうまい比喩を見いだせなかった。わたしの眉毛は黒い梁のようで、顔の中で一番目立ち、まつ毛はとても長いが、上に反っていないので、まるで日除けのようだったからだ。役には立つ、だがそれだけ。

「おまえも悪くないけど、若いころのおまえの母さんと比べるとねえ」

祖母の声がそこで裏返った。

「おまえの母さんには上流階級のハンサムなハーステガール（求婚者）がたくさんいたんだよ。じゃあ、なんでおまえの父さん《バーバー》に嫁がせたかって？　まさかあんな男とは思わなかったんだ。情けないったらないさ。まともな男が十三歳の娘と結婚する？　わたしは絶対にごめんだ」

小さいとき、わたしは言った。

「ねえ、どうして母さんを父さんと結婚させたの？　母さんは王子さまが現れるのを待ってもよかったのに」

大きくなってから、わたしは気がついた。

「でも母さんを父さんにあげなかったら、わたしはこの世にいないのよね」

祖母は夢から覚めたかのようにわたしを見て、髪を撫でてくれた。

「そうだね。だからこれでよかったのさ」

わたしは祖母が本当のことを言っていないと直感的に感じた。もし時間を巻き戻すことができて、決断し直せるなら、祖母は違う判断をしただろう。


列車は十二時間かかってテヘランに到着した。わたしたちは母のスーツケースとわたしの旅行鞄を手荷物カートに載せ、マフヌーシュと薬剤師に別れを告げた。

暮れなずむ時間帯で、いたるところに極彩色の光が灯っていた。道路には車がひしめき、タクシーはのろのろとヴァリアーサー通りを北上した。空気は排気ガスで淀み、クラクションやブレーキ音やエンジン音や罵り声が路上に飛び交っていた。頭痛がしてきた。タクシー運転手は、仕事を三つ掛け持ちしていると母に話した。朝は何時に起床し、妻にはどこへ食事を運んでもらい、いつ帰宅し、浅い眠りについている妻を起こさないようにすることなど。ひとしきり話すと、運転手は沈黙した。わたしは頭痛がひどくなった。タクシーはずっとゆるやかな坂を上った。そのうち頭痛が気にならなくなってきた。ポプラ並木は道路側に枝を伸ばし、トンネルのようになっている。そのときヴァリアーサー通りのどのあたりにいて、目的地までまだどのくらいかかるかも、わたしにはまったく見当がつかなかった。母は後部座席にわたしと並んで座り、外を見ていた。

「ねえ、どうして父さん《バーバー》との結婚を承諾したの？」

「母さん《マーマーン》にそうしろって言われたからよ。おまえの父さんもそうだった」

「抵抗しなかったの？」

「何時間も説得されたわ」

「なんて言われたの？」

「覚えていないわ」母は外を見続けた。まるでたくさんの買い物袋を提げた通行人が別の話題を提供してくれると期待しているかのように。「母さんは、結婚すればミニスカートを穿いてもいいって言った。わたしはミニスカートに夢中だった」

「ミニスカート？　ミニスカートが穿きたくて結婚したの？」

タクシー運転手はルームミラー越しにわたしを見た。母はわたしのほうを向いた。

「わたしはまだ子どもだった。人形で遊ぶ年ごろだったのよ」

母はわたしから目をそらし、また通行人を見た。

「母さん、責めているわけじゃないの」

「なんで十三歳の子と結婚したのか、父さんに聞くべきだったわね」

父さんは母さんが十七歳だと思ったからよ、とわたしは心の中で言った。裸になった男の後ろ姿がまぶたに浮かぶ。背中は毛だらけで、娘の後ろ姿よりもはるかに身体が大きく、肩幅がある。男は娘にのしかかり、娘の胸を……。そんなことを考えてどうしようというのだろう。

携帯電話がコートのポケットの中で振動し、わたしは我に返った。

「もしもし?」

「やあ! どこに泊まるんだ?」

ラーミーンは上機嫌だ。

「母のいとこのところ。いつものように」

「あすの早朝迎えに行く。小旅行をする」

「無理よ。あさって帰るんだから……」

「あしたバムに行くんだ。地震から五年。復興の様子を見るべきだ」

バム。数千年の歴史を刻む土の古都。イラン系旅行会社で地震が起こる前のバムのポスターを見たことがある。

「ありがとう。今度また誘って」

「次はない。二ヵ月したらアメリカに行く」

ラーミーンは最後の言葉をさりげなく言うように努めた。わたしたちの付き合いはほぼ十年になる。そしてラーミーンはそのほぼ十年間、わたしたちの淡い付き合いに他人を介在させないのを暗黙の了解にしていた。わたしは彼の人生について多くを知らない。彼も、わたしがどんな生き方をしているかまったく知らない。わたしたちが会うときは過去も未来もない。どこから来て、どこへ行くかも関係ない。といっても、別段ロマンチックでもなんでもないし、情熱を燃やし続けるためのトリックでもない。そうすることしかできないのだ。わたしはラーミーンとひとつになることができない。それにラーミーンは結婚している。いまでは父親だ。

わたしは、母が聞き耳を立てていることに気づいた。

「分かった。帰りの飛行機を変更できるかやってみる。でも五日後にはテヘランに戻る必要があるわ」

「心配ない。こっちもやることがある」ラーミーンがにやついているのが見えるようだった。

わたしが電話を切ると、母が訊いてきた。

「誰?」

「知り合いのジャーナリスト。前にいっしょに働いたことがある人」

「どういう用件だったの?」

「あしたバムへ行くんだって。フランスの通信社のために記事を書くらしいんだけど、同行しないかって言うの」

「あなたはもう記事なんて書いていないじゃない」

「たまには書いてるわ」わたしは嘘をついた。

「それにしては、ずいぶんつっけんどんだったわね。せっかくあなたのことを考えてくれているのに」母はため息をついた。むろんほっとしたからではない。「バムねえ。結婚したころ、わたしはあなたの父さん《バーバー》とあそこで暮らしたのよね。あなたはあそこで生まれた」

「えっ？　生まれたのはマシュハドだと思ってた！」

「出生届はあとで出したから。バムにいたのは数ヵ月だけだった。あなたの父さんはあそこに診療所をつくったの……」

母はずれたチャードルをかぶり直し、何度か動かして、髪を撫でつけてからチャードルの端をぴんと引っ張った。

「……でも母さん《マーマーン》が、バムは出生地にふさわしくないって言ってね」

タクシー運転手は知っている袋小路を曲がると、坂を下りきったところで車を止めた。スィーマーの家の前だ。頭痛がさらにひどくなっていて、自分の人生よりもタクシー運転手の人生を詳しく知っているような気がしていた。わたしは車を降りた。これからは他人の伝記を書くようになるだろう。わたしにとっては慣れたものだ。それで、いっこうにかまわない。

母のいとこスィーマーはやつれていた。とくに顔が。祖母はいつも言っていた。

「年を取れば、牛になるか山羊になるかの選択を迫られるのよ」

スィーマーは最後の最後に山羊を選択した。居間に入ると、スィーマーの孫がプレイステーションで遊んでいて、わたしたちがソファに座れるようにと脇にどいた。わたしの母はおもちゃの消防車をテーブルに置いた。

「おみやげを持ってきたわ」

その子はそっちをちらっと見て、ありがとうと言うなり、テレビゲームの剣闘士の腕を切り落とした。鮮血が肩からほとばしる。スィーマーは息子の部屋を何度もノックして、出てくるように言った。息子のうつ病が悪化していると弁解しながら、向かいのソファにどさっと座り込んだ。息子が部屋から出てくるのはまれで、トイレか、冷蔵庫でパンとチーズを漁るときだけだと言う。スィーマーは孫を顎で指した。

「あの子がかわいそうだわ。ろくでなしの母親は四ヵ月前に電話をかけてきてから、まったく音沙汰なし」

わたしはスィーマーの孫をちらっと見た。さっきからその様子はなんの変化も見られない。剣闘士からうまく逃れようと必死になっている。

スィーマーは葬儀がどうだったか訊ねた。彼女はおばであるわたしの祖母とは馬が合わず、なにかというと対立し、喧嘩ばかりしていた。十七歳のときにはもう逆らっていたと話してくれたことがある。祖母が十三歳の娘を結婚させたときには、もうその年になっていたのだ。

「口出しするな。なにか言いたいなら、イク経験をしてからにおし」祖母はそう言ったという。わたしは三十四歳になるが、いまだにイク経験が分かっていない。それはこれまでのセックスと関連しているのはまちがいないだろう。

わたしの母は、誰がどこから参列し、誰が一番多く泣いて、誰に一番感謝しているかを話してから、急に話題を変えた。

「あなたの娘はどうしてる?」母は楽しい話題になると期待していたようだ。

「あの子ね」スィーマーは手で払う仕草をし、答える前にタバコに火をつけて、天井に向けて紫煙を吐いた。「よく知らない男とスウェーデンに行かせたのはまちがいだったわ。でも、どうすればよかった? あの子はここでは生きづらく、早晩うつ病になっていたでしょう」

スィーマーはわたしたちを見た。返事を待っているようだった。

わたしたちはなにも言わなかった。わたしは紅茶に口をつけたが、まだ熱すぎた。

「あいつはペテン師だった。会社なんて経営していないし、持ち家もない。乗っているのはスクーターで、生活保護を受けている」

はじめは好印象だったらしい。オーダースーツを着て、言葉遣いも洗練されていた。スィーマーには巨大なユリの花束を贈り、街で一番高級な菓子店の菓子を持ってきた。シュークリームは賞味期限切れの味がしたが、誰もそれを怪しむことはなかった。スィーマーの娘はすでに離婚経験があったが、有頂天になって、興奮を抑えられなかった。

「それで彼はやさしくしてくれてるの?」わたしは訊ねた。

「あいつがやさしいかって? あいつは……金にうるさくて、娘の行動をいちいち監視している。買い物をして、ひき肉の値段が高かったりすると、あの子がその言い訳をしなくちゃならない。スーパーに行く途中で十分ほど日なたぼっこしただけで、あいつは浮気を疑ってかかる。

しかも冬に太陽が昇らない国ってなによ。きのう娘は電話口で泣いていたわ。『母さん《マーマーン》、ヨーロッパに行くんじゃなかった』と言って。胸が引き裂かれそうだった」

「おばあちゃん《マーマーン・ボゾルグ》、声が大きいよ。いらいらする！」孫が言った。

スィーマーはわたしのほうを向いて囁《ささや》いた。

「それで、あなたはどうなの？　いつになったらあなたの結婚式で、わたしはおめかしできるのかしら？」

わたしは無理に笑顔をつくり、母のほうを見たくなる衝動を抑えた。

「もうちょっと待ってもらうしかないわね」

「目をつけてる人はいないの？」

「いないわ」

「赤ん坊のとき、あなたは信じられないほど成長が早かったけど……」スィーマーはわたしの母に視線を向けた。あなたがいけないとでも言うような非難がましい眼差しだ。「……でもいまは、わたしたちを待たせてばかりいる」

そのとき爆発が起きた。テレビ画面の中で無数の日干しレンガが吹き飛んだ。ゲームオーバーという真っ赤な文字が画面に浮かんで、居間は静かになった。

「信じられないほど成長が早かったのにね」そう繰り返すと、スィーマーは目をくりくりさせた。

母がいきなり立ち上がった。

「ごめんなさい。そろそろ休むわ。もうくたくた」

「ほらね、モウナーが心配なあまり、あなたの気持ちをすっかり忘れていたわ」ふたりは抱き合った。

わたしは母について寝室に入った。わたしたちはベッドにうつ伏せに寝た。

「いっしょにバムに行くわ」数分してから母が言った。

「えっ？」わたしは素っ頓狂な声を上げた。

「ここにいるのは耐えられない」

「だったら、もっと早くドイツに帰ったらいいじゃない」落ち着いたそぶりを装いながら、わたしは言った。

「そんなことしたらスィーマーが傷つく」

「あした、わたしといっしょにいなくなっても、傷つかない？」

「それはどうにでもなる。あなたが仕事で同僚とバムに行くことになったと言えばいいのよ。わたしもいっしょに行く。あなたたちふたりだけでは危険すぎるもの。それなら納得する」

「母さん、わたしは三十四よ」

「関係ないわ。風紀警察から絶対に目をつけられる。同僚だと言っても通用しないわ。連中はあなたたちが恋人同士だとみなすでしょう」母は顔を上げて、わたしの目を見た。「風紀警察の留置場で夜を明かすなんて、一晩でも嫌でしょ」

「ラーミーンならなんとかするわ。すでに経験ずみだし」

「甘いわね。南の風紀警察は手ぬるくないわよ。重装備している麻薬密売組織と毎日戦っているから」

わたしは想像したくもなかった。母とラーミーンとわたしの三人で砂漠地帯のバムへ行き、照りつける太陽に肌を焼かれるなんて。十二月だから温度はたいして高くないにしても、喉の渇きに苛まれる。見たり、触れたりできるものといえば、数千年の歴史を刻む土壁ばかり。ラーミーンとわたしのいまにも切れそうな見えない絆に、わたしの母というセーフティネットが加わった。

「わたしを連れていけば、人畜無害の家族旅行に見えるでしょう。誰も難癖をつけないわ」

「それは無理よ。わたしたち、姉妹にしか見えないもの！」

「大丈夫よ。この数日でわたしは何歳も老けたから」

わたしはなにも言わず背を向けて目を閉じ、すこし考えた。

数分して、母は寝入った。わたしは毛布をかけてやってから浴室に行った。熱いシャワーを背中に浴びながら考えた。母がいっしょに来て、ラーミーンとふたりになれないのであれば、脚にカミソリをあてても仕方がないかな、と。

5　チューベ・ド・サル・ゴヒー

――両端に糞がついた棒――


「脚にカミソリをあてるのか？　なんだそれ」スィヤーヴォシュはわたしのほうを振り返って、十字路に入り込んでくる家族四人が乗ったオートバイを見落とした。

「あぶない！」わたしは叫んだ。

スィヤーヴォシュは急ブレーキをかけた。

わたしはほっとした。

「脚にカミソリをあてちゃいけない？」

「そんなことしたら、硬い毛が生えてくるじゃないか」

「じゃあ、脚の毛を長く伸ばして、髪の毛みたいに梳《す》けばいいって言うの？」

「なに言ってるんだ。ワックス脱毛するんだよ！　なんにも知らないんだな」

「知らなければ、教えてもらうからいいわ」

「ラーミーンは、脚に硬い毛が生えているのを見て、これぞ欧米って思うのかね」

「まだ文句を言われたことはないわ」

刑務所に向かって前を走るパトカーとバイヤー氏の担当弁護士の車が環状交差点で一時停止した。スィヤーヴォシュは隙を見て、二台を追い抜いた。わたしはパトカーの内部を見ようとそっちを向いた。

「無駄ね。ふたりの警官に挟まれていて、見えやしない」

「女の身体を舐めるのも、無精髭の男と抱擁するのと変わらないな」スィヤーヴォシュが話し続けた。ドイツ語で聞くと、ガソリン車よりもディーゼル車のほうがすぐれていると言っているようなものだ。「脚に無精髭を生やすなんて、それだけでドイツ女とは暮らせないな」

イラン女とだって無理だろう。一ヵ月いっしょに働いて、そういう印象を持っている。スィヤーヴォシュのことなら、なにからなにまで知っているつもりだ。

スィヤーヴォシュはイランで生まれて、フランクフルトで大きくなった。一九八〇年代にミュンヘン大学でジャーナリズム学を専攻した。ドイツ語を母語としないはじめての学生だったというのが彼の自慢だ。それからドイツの新聞社の特派員としてイランに帰った。二年後、特派員の仕事に飽きて、ドイツで職を探し、ザールブリュッケンの地方新聞社に就職した。だが半年で荷物をまとめて、テヘランに舞い戻った。

「ドイツじゃ、生粋のドイツ人じゃないジャーナリストに芽が出ることはない」スィヤーヴォシュはそう言い切った。「ドイツの端っこの方言丸出しの僻地でしか職を見つけられなかった。ザールラント州〔ドイツ南西部の州〕のニュースなんて誰が興味を持つ？　ザールラント州に行ったことがあるか？　ないだろう？　そういうこと。行ってもしょうがない。いいかい。ドイツ人は俺たちのような外国人を信用しない。信用に足るところをまず見せるしかないんだ。そんなこと、やってられるかっての」

「わたしのことまでいっしょにしないで！」

「いずれ骨身に沁みるさ。思い知らされれば、きみもその純情な考えを捨てるだろう」

「あなたって、なんでも悪く取りすぎよ」

「そんなことないさ。現実主義者なんだ。俺たちなんて所詮、チューベ・ド・サル・ゴヒー〔両端に糞がついた棒〕なのさ。アイスボンボン、もうひとつ舐めるかい？」

　スィヤーヴォシュはアイスボンボンをキロ単位でドイツから取り寄せている。アイスボンボンの袋を差し出されたが、わたしは無視して言った。

「あなたは棒のように頑なね。でも、わたしは違う。ずっと柔軟よ」女はチューベ・ド・サル・ゴヒーだと言われると、わたしはいつもそう言い返した。

　スィヤーヴォシュは、「俺なんか、所詮、チューベ・ド・サル・ゴヒーだ」と言っていた。彼はテヘランで暮らしてはいたが、自分と同じような人間や駐在員とばかり付き合っていた。

土曜日に仲間を自宅に呼んで、衛星放送でドイツのプロサッカーリーグを観戦する。サッカーにはまったく興味がなかったが、わたしもその集まりに参加した。スィヤーヴォシュはアイントラハト・フランクフルトのファンだ。彼がベッドに誘うイラン女は欧米の匂いがする子にかぎられる。欧米の在イラン大使館やドイツのコンツェルンや外国メディアで働く女性たちだ。スィヤーヴォシュは、自分が国外に出る道を開いてくれるとか、憧れの欧米スタイルで暮らせるとか、そんなふうに女性から期待されるのが嫌だったのだ。

若いころは何度も煮え湯を飲まされ、恋人だと思っていた女性にさんざん傷つけられた。だからスィヤーヴォシュは自分を第一に考えるようになっていた。

「コス（陰部）は機嫌をとってもらえると思ってる」とよく言っていた。

コスという言葉を平気で口にする男性はスィヤーヴォシュしか知らない。

だが彼は二ヵ月もすると機嫌をとらなくなる。スィヤーヴォシュにとって大事な存在で、定期的に会っていたのは「天使」を意味するフェレシュテという女性だけだった。ただしフェレシュテにはひとつだけ問題があった。結婚の意思をはっきりさせない男と娘が会うのを両親が望まなかったのだ。娘にはハーステガール（求婚者）を望んでいた。スィヤーヴォシュはわたしに一度もフェレシュテを紹介してくれなかった。わたしが知るかぎり誰にも紹介していないはずだ。特派員仲間のパーティや大使夫人主催のレセプションにも連れてくることがなかった。スィヤーヴォシュは自分の日常や定期的に関わる人間にフェレシュテを近づけようとしなかった。まるでわたしたちはまともに人付き合いができないとでもいうように。そしてわたしたちのどこかに彼女が触れれば、糞にまみれるとでもいうように。

わたしのテヘラン滞在が終わろうとしたとき、四十歳の誕生日を迎える直前のスィヤーヴォシュは数日、目に見えて機嫌が悪かった。この時期にハーステガールになったに違いない。だがそのことを誰にも話さなかった。彼がハーステガールになる直前、この世で一番の皮肉屋である彼が花束を持って彼女の両親を訪ね、彼女がふるえる手で紅茶を出した直前、わたしたちは喧嘩をした。

女子学生寮で知り合ったアーレズーがわたしを美容院に誘った。

「美容院に行かなかったら、イランに来たとは言えない」と言って。

美容院は混雑していた。アーレズーとわたしのほかにも三人、バロック風の大きな鏡の前に座っていた。ひとりは髪をブロンドに染めていた。ほかのふたりは特殊な方法で結んだ糸で顔の産毛を取ってもらっていた。わたしたちの背後では四人の若い店員が、産毛取りをすませ、ヘアカットをした女性客にマニキュアを施していた。店内の空気中のアンモニアは許容値をとっくに超えている。わたしを担当した美容師がどうしたものかと考えを巡らしているあいだ、わたしは彼女を観察した。パウダー、アイライナー、マスカラ、口紅、リップライナー。美容師の顔には、宇宙からでも分かるほどありとあらゆる化粧が施されていた。

美容師は眉間にしわを寄せて、アーレズーとわたしに言った。

「いずれにせよ眉毛の形を整えて、産毛を取り除きましょう。でも、その前にフェイスパックで顔の老廃物を取ったほうがいいと思います」

「ドイツの男ってどうなんですか？」美容師はしばらくして、そう話しかけてきた。並んでいるセットチェアの反対側の端で客の髪にドライヤーをかけていた。

「それはいろいろですよ……」わたしはいつもよりゆっくり話した。美容師見習いがわたしの顔にフェイスパックを分厚く塗っていたからだ。

「ドイツの男は女に興味がないと聞きますけど」マニキュアをしてもらっている女性客が言った。

「女性に興味がなくても、コス（陰部）なら別でしょう」誰か分からないが、そんな声が聞こえた。

げらげら笑う声が響いた。

「イギリスに住むいとこを訪ねたことがあるけど、わたしたち、ディスコに行ったの。女がセミヌードで踊っていても、男たちはバーで酒を飲んで、見向きもしなかった！」わたしの横にいた客がそう言って、目を開けた。青色のコンタクトレンズをつけている。

「別世界にでも住んでいるんですか？　イギリスの男がホモセクシャルなのは周知の事実でしょ」美容師がカールした髪にドライヤーを懸命に当てながら言った。

「あらやだ、知らなかったわ。だったら、今度はイギリスではなく、カリフォルニアにいる姉を訪ねようかしら」

「イランの男たちをセミヌードの女たちと酒のあるところに閉じ込めたらいいのよ」美容師見習いのひとりが言った。

わたしのフェイスパックには早くも小さな亀裂が走っていた。美容師はドライヤーのスイッチを切ると、額に布を当てて、浮きでた水分を吸い取った。

「実験するならうちの旦那を提供するわよ。たぶん興奮するはず」

ふたたびげらげら笑う声が上がった。その騒ぎの中、わたしはあやうく電話の呼出音を聞きのがすところだった。

「おい、どこにいるんだ？　俺は十五分前から前に立っているんだが」スィヤーヴォシュは腹を立てていた。

「前ってどこの？」

「女子学生寮に決まってるだろう。一時間後にバイヤーの弁護士と会う。急げ！」

わたしは予定を失念していた。

「美容院に迎えに来てくれない？　寮のすぐ角にあるわ」

「正気か？　俺を待たせて、美容院にいるのか？」スィヤーヴォシュはすごい剣幕で食ってかかった。「『美容院に迎えに来てくれ』だと？　いいか、ペルシア女がやってるくだらないことを真似るんじゃ……」

「そんな心の狭いことを言わないでよ」

「なんだって？　もっとはっきり言え！」
「フェイスパックをしてるのよ」
「なんだと、この馬鹿野郎」

それっきり二週間、スィヤーヴォシュはなにも言ってこなかった。その二週間でわたしのテヘラン滞在は終わることになっていた。ドイツに帰る前日、わたしは空港へ行くためにタクシーを予約した。

最後の夜はラーミーンと過ごした。わたしたちはテヘランの北部へ食事に出かけた。北部は山がちの地形で、人々は山の上にある食堂めざしてカモシカのように坂を上る。積み上げた砂糖大根《ビート》が湯気を上げていた。雨が降り、その夜はほとんど人が出ていなかった。路上の売り子たちはジャンパーのファスナーをいっぱいに上げて、ハナウドシードの粉で味付けしたそら豆を売り歩いていた。呼び声を上げはするが、本当に売れると思っていないようだった。わたしはそんな悪天候でも外で食べたいと言った。最後にもう一度、街の雰囲気を味わいたかったのだ。適当な屋台を見つけると、絨毯を持ってこさせ、あぐらをかいて、古くなったパンをかじった。ラーミーンのジョークもはずればかりで、パンも彼の言葉もなかなかわたしの喉を通らなかった。

帰りに、ラーミーンはグローブボックスに入れていたシューベルトのＣＤをかけた。わたしたちはテヘラン市内を移動中、いつもそのCDを聴いていた。曲が流れだすなり、わたしはCDプレイヤーのスイッチを切った。ラーミーンは女子学生寮の前で車を止めた。遅い時間なのに寮の明かりはまだすべてついていた。わたしたちはしばらく黙っていた。

「あしたはタクシーにする」わたしは沈黙を破った。

「そうなのか」

「空港での別れなんて大袈裟だもの」

「……俺たちの逢瀬よりもか」ラーミーンはにやっと笑った。

「あのね、わたしはひとりで来たんだから、ひとりでこれを終わらせる」

「これってなんのことか分からないんだが」

「テヘランでのわたしの一年」

「その一年に俺の居場所はあるのかな?」

「あなたはその一部よ」わたしはそう言ってから、すぐに取り消したくなった。フロントガラスの結露を拭き取るみたいに。

「そのプロジェクトをきれいに終わらせたいというわけか」

「そうは言ってないわ……」

「ドイツ人はそういうのがうまい」

「やめて」

男が三人、わたしたちの車のそばを通った。一番痩せた男が足を止めて振り返り、結露したガラスを通して車内をうかがっている。わたしはうつむいた。男は探るように車をひと回りして、ラーミーン側のウィンドウガラスをノックした。ラーミーンはレバーを回して、ウィンドウガラスを下げた。髭面と巡査の制服が目に入った。

「なんだい？」ラーミーンの声はいつもより低く聞こえた。

「そっちの人は？」風紀警察官はわたしのほうを顎でしゃくった。

「妻だ」

わたしは心臓がバクバクしたが、平気な顔で警察官を見ようと努めた。年齢はせいぜい二十歳で、数年前にひどい痤瘡《ざそう》を患ったように見える。

「なんで車の中にいるんだ？」

「こっちの勝手だろう」

「なんで車の中にいるんだ？」

「関係ないだろう」

「なんで車の中にいるんだ？」警察官は腰のホルスターに差した拳銃に手をかけた。

「車に乗っているのは違反じゃない。いいから、ほっといてくれ」ラーミーンはウィンドウガラスを上げた。警察官は同僚になにか言った。

心臓がバクバクして、肋骨がばらばらになるかと思った。だがラーミーンは涼しい顔をしている。

　警察官がふたたびウィンドウガラスをノックした。

　ラーミーンはドアを開けた。

「ゆっくりおしゃべりがしたいんだがな！」

「降りろ」

「こんなところでぐずぐずしてないで、街の秩序を守ったらどうだ？」

「降りるんだ！」

　ラーミーンはため息をついて、わざとゆっくり車から出た。

　ラーミーンと警察官が面と向かい合った。わたしはなかなかふたりを見る勇気が出なかった。開いたドアの隙間から足と上半身の半分が見えた。ドアミラーに、近づいてくるほかのふたりの警官の姿が映っていた。逮捕される。まちがいない。


　ピックアップトラックがタイヤを軋ませて止まり、わたしたちは荷台に乗せられた。派出所では別々の部屋に入れられた。なにも載っていないテーブルの前に座らされて、意味不明の笑みを浮かべる警察官に、違法行為はしていないと訴えた。警察官の言葉を、わたしは半分しか理解できず、壁にかけてあるアーヤトッラー・ホメイニー〔イラン・イスラーム革命を主導した「イラン・イスラーム共和国」の元首〕とアーヤトッラー・ハーメネイー〔第三代イラン・イスラーム共和国大統領、一九八九年から第二代最高指導者〕の双生児のような肖像写真をただ見つめていた。

ついにイランのこういう一面を体験することになった、とわたしは思った。パーティや美容院だけがイランじゃない。これもイランだ。おそらく数千万のイラン人にとっての現実、わたしがほぼ一年のあいだ見事に見過ごしてきたことだ。ジャーナリストだというのに！　ドイツでなら、洪水にしっかり対応しない保険会社について告発記事を書けば、みんなから、とくに父からは、ジャーナリストとして世界を変えようとしていると認められる。だがここでは、それではまだ充分とは言えない。じつはほかの国々でも。

そんなことをつらつら考えているうちに、留置場に放り込まれた。そこには放心した様子の女性が何人もいた。自分たちの行為への恥じらいからか、わたしたちは目を合わせないようにした。ときどき扉が開いて、名前を呼ばれる。わたしたちのうちの誰かが腰を上げ、夢遊病者のようにふらふらと留置場から出ていく。どこへ連行されたのかは分からずじまいで、想像の域を出ない。そのうちこっちの生きる意志にまで翳りが生じてきた。男、酒、ポップミュージックが、留置場で過ごす数時間で頭の中から雲散霧消した。わたしはドイツのタブロイド紙『ビルト』に「ドイツのジャーナリスト、イスラム教国で投獄」という見出しと共に写真が掲載されるところを想像した。だがイランではきっと、ドイツ人としてではなく、イランの女として裁かれるときが来るのだ。よりによって、どこよりドイツ人であることを意識させられるイランで。ドイツ大使館はわたしのために指一本動かさないだろう！　わたしはイランの刑務所に投獄されたたくさんのイラン人女性のひとりでしかない。嘆かわしいことだが、『ビルト』誌にとってはせいぜい紙面半分の価値しかない。どうやったらわたしの運命を外に知らせることができるだろう。スィヤーヴォシュとは美容院の件で仲違いしたままだ。わたしに連絡を取ろうとしないだろう。ドイツにいる母が心配するのは、わたしがテヘラン発の旅客機に乗らなかったことを知ったあとだ。わたしの居場所を突き止め、テレビでイラン政府のやり口を訴えるだろう。わたしが解放されるまで数週間はかかる。そのあいだに生理が来る。ここの連中に生理用品を工面してくれと頼む気にはなれない。だから血がわたしの中から流れだす。留置場の片隅で長いあいだ異臭を放ち、脱水症状に苦しむことになるだろう。そんなことを考えていると、留置場の扉が開いて、わたしの名が呼ばれた。はじめに思ったのは、わたしの名前モウナー・ナーゼミーはここイランに属しているということだ。ここで呼ばれるのは、注目を集める名だからではなく、罪人の名だからだとはじめて意識した。

「家に帰れ。車の中でいちゃつくなんて夫婦のすることじゃない」

ラーミーンはまたハンドルを握った。

「俺たちが決めることだ。あばよ」ラーミーンはバタンとドアを閉め、エンジンをかけた。わたしは何度も深呼吸した。わたしたちの車は街角を曲った。

「あいつらの好きにさせちゃいけない」ラーミーンが言いだした。「とくにおどおどしちゃいけない。怯えていると気づかれたら、おしまいだ。こっちがびくびくしなければ、奴らは自分がどんな小物か気づく。たいていの奴に母親や父親がいる。そして、あのくだらない制服を着ていなければ、この社会で実際はどんな地位にあるかよく分かっている。変節しない奴なんてめったにいない」

「お金を渡したの？」

「金を渡したかって？　まさか」

女子学生寮の前で、わたしたちはまたしばらく車の中で黙って座った。今度はラーミーンが沈黙を破った。

「ジュージェ（ヒヨコ）、もう気にするな。空港に行くことだけを考えろ」

わたしが反応しないでいると、ラーミーンに頬をつねられた。わたしはそうされるのが嫌いであると同時に気に入ってもいた。

「そうね。あとは空港に行くだけ。タクシーで」

ラーミーンは笑った。

「そういう計画だったな」

わたしたちはいつもより数秒長く抱擁し、キスをした。だがラーミーンから身体を離したときにはもう、スーツケースにまだ詰めていないもののことしか頭になかった。バザールで手に入れた小皿や大皿やベッドカバー、それから友だちへのおみやげや、母に頼まれた木の実やドライフルーツなどのつまみ。すべて、滞在中についに使われることのなかったもう一台のベッドに広げたままだ。わたしはスーツケースの追加購入を怠ってしまった。なんとか二個のスーツケースに押し込まなければならない。ラーミーンの車が視界から消えるのを見ながら、人生ではじめてエザーフェ・バール（超過手荷物）を覚悟した。

翌日、スーツケースを引っ張ってタクシーのいるほうへ歩いていると、すこし離れたところにスィヤーヴォシュの姿を見つけた。ドアを開けたまま自分の車にもたれかかっている。

スィヤーヴォシュはわたしに挨拶もせずに歩いてくると、タクシー運転手に数枚の紙幣を渡した。タクシーは向きを変えて走り去った。スィヤーヴォシュはなにも言わずにわたしのスーツケースをトランクに載せた。わたしも黙って助手席に乗り込んだ。スィヤーヴォシュはなにも言わず、ハンドルを握り、ギヤを入れた。わたしも黙って外を見た。涙が込み上げてくるのを我慢しながら、目に映るものをできるかぎり脳裏に焼きつけようとした。午後も遅い時間、わたしたちは街の西部に向かった。秋の太陽は低い位置にあり、とてもまぶしかった。あちこちへこんだ白い車に追い越された。ぶつかりそうなほどすれすれなところを走っていった。

できることなら、永遠に走り続けたかった。空港を通り越し、ひたすら西へ。イラン国内のクルド人居住区を抜け、シリアも通過して、地中海に落ちるまで。お腹にはアイスボンボンだけ。そうすれば、人生を見極めることができそうだった。どこにも辿り着きたくないという欲求をあれほど強く感じたことは、あれっきり一度もない。

スィヤーヴォシュは車を駐車場に止めず、出発ロビーの前に停車し、わたしのスーツケースを歩道に置くと、手を差し出してきた。手を握ろうとしたとき、彼が指輪をはめていることに気づいた。

「共同作業はうまくいった」

二週間ぶりの言葉だった。喧嘩別れしてからは九年間、きちんと言葉を交わしていない。

「そう総括していいわね。いろいろありがとう」

わたしたちは一瞬、黙って向き合った。お互いに相手になにか期待しているようだった。そしてふたりともその期待をかなえられなかった。

スィヤーヴォシュは視線をそらし、手を上げて別れの挨拶をすると、車のほうへ歩いていった。

「お幸せに」わたしは彼の背中に向かって声をかけた。

スィヤーヴォシュは微笑もうとしてきゅっと唇を引き締め、さっと目をつむると、車に乗り込み、エンジンを吹かして走り去った。

母は空港まで迎えに来てくれた。高速道路ではベンツやＢＭＷに追い越された。フロントガラスに付着する水滴で雨が降っているのが分かる。だがワイパーを動かすほどではなかった。

6　チューベ・ド・サル・タラー

―両端が黄金の棒―

湯がいきなり冷水になり、わたしは我に返った。蛇口を閉めて、シャワー室から出る。浴室にはひどく湯気がこもっていて、曇った鏡に映ったわたしは自分の輪郭しか見分けられない。母はパジャマに着替えて、毛布をかぶっている。わたしは聞き耳を立てた。いびきが聞こえる。熟睡している証拠だ。

翌朝、母がスーツケースに馬乗りになって、ファスナーと格闘していると、母のいとこのスィーマーがドアを開けて顔を覗かせた。

「用意はできた？　同業者だという人が玄関に来ているわ」

「なんてこと」。ファスナーが壊れてしまったのだ。

スィーマーはさっと姿を消し、大きなスカイブルーの革製スーツケースを持って戻ってきた。

母とわたしは顔を見合わせた。そのスーツケースはかつて祖母が使っていたものだったのだ。そのスーツケースが発売されたとき、母がひとつ購入して、スカイブルーというのがいいわね、と言った。かつてトルコ人労働者は決まってそういうスーツケースを持っていた。少なくとも古い写真では。

「このスカイブルーの怪物はものすごいお古なの。どうして持っているのか分からない。これなら使ってかまわないわよ」スィーマーは申し訳なさそうに言った。「お気に入りのおしゃれなスーツケースはスウェーデンに行くときに使うので」

　母はなにも言わず、ピスタチオとサフランの袋や衣類をスカイブルーのスーツケースに詰め替えた。そのあいだに、わたしはスィーマーと孫に別れの挨拶をし、うつ病の息子によろしくと告げ、自分の旅行鞄を持った。玄関から出ると、タクシーの後部座席にもみあげが白くなった男性が乗っていることに気づいた。タクシーのドアを開けて、わたしはラーミーンの隣に座った。タクシー運転手は手帳からちらっと顔を上げた。

「よかったわ。あなたが髪を染めるような人じゃなくて」わたしは言った。

「きみも自然な美しさを大事にしているんだな。すばらしい。こんなに独特な鼻は、イランではまず見かけない」

　ラーミーンは運転手のほうに身を乗りだした。

「それじゃ……」

「待って、母を待たなくちゃ」

「どこかへ送っていくのかい？」

「いいえ、いっしょに来るのよ」

「俺たちと？」

「ええ」

「バムへ？」

「そうよ」

ラーミーンはわたしを見てから、両手をメガホンのようにして口元に当てて、声に出さずに口を動かした。

「ファック！」

「わたしたちは同僚よ」

「同僚とはすばらしい」

ラーミーンは革のカバーがかけてあるヘッドレストに頭を預けて目を閉じた。タクシー運転手は手帳を閉じ、指でハンドルを叩いた。わたしは座席に深く沈み込んでラーミーンに目を向けた。ラーミーンの頬は明らかにたるんでいる。細部を長年じっくり観察してきた者にしか気づけないことだろうが、頬が耳につながるあたりにうっすらしわが寄っている。頬がたるんで見えるのはそのせいだ。紛れもない老化の証。もう若くはないのだ。未来よりも過去のほうが長くなった証拠。この二年で相応に年を取ったということだろうか。それとも父親になったからだろうか。父親になるには最後に残った若さを犠牲にするほかなかったということか？

ラーミーンが三度、腕時計を見たところで、母がスカイブルーのスーツケースを提げて家から出てきた。ラーミーンは車から降りて、小走りに母のほうへ行って、スーツケースを受け取ると、こう言った。

「お悔やみ申し上げます」

母もなにか言ったが、聞き取れなかった。わたしは無関心を装って、そのまま後部座席に座っていた。ふたりを紹介する手間が省けたのでうれしかった。ラーミーンはドアを開けて母を後部座席に座らせ、自分は助手席にすべり込んでから振り向き、背を向ける失礼を許してほしい、と母に言った。わたしは笑いの発作が出そうになるのを堪《こら》え、気をそらすために外を見た。十二月にしては妙に暖かく、朝日がすべてを黄金色に染めていた。まるで季節が違うようだ。どうして人はこういう光に惹かれるのだろう。不思議だ。

タクシー運転手はハンドルさばきがうまかった。車間を的確に読み、どんな隙間も見逃さず、素早く追い越しをかける。まるでゲームか格闘技のようだった。

ラーミーンが咳払いをして言った。

「スィヤーヴォシュがよろしくと言っていた」

「それだけ？」

「記者会見のあと別の用事があるとかで、すこししか話せなかった」

しばらく沈黙が続いた。そのとき、わたしは前々から気になっていたことを思い出した。

「ねえ、どうして『チューベ・ド・サル・ゴヒー（両端に糞がついた棒）』と言うの？」

「なんですって？　そんなことを言うもんじゃありません！　どうせ言うなら『チューベ・ド・サル・タラー（両端が黄金の棒）』と言いなさい」母がすかさず言った。

わたしは唖然として母を見た。

「黄金？　糞のはずだけど」

ラーミーンが口をはさんだ。

「元は両端に糞のついている棒だった。昔の汲み取り式便所が由来だ。排泄したとき、棒であそこを拭く。だから便所の隅に棒が立てかけてあった。よくあることだが、棒の両端が使われる」

「簡単なことです」タクシー運転手が言った。「両方使われていれば糞ったれで、使われていなければ千金に値する」

わたしは背筋を伸ばした。

「むちゃくちゃ。糞と黄金では真逆じゃないの。なんでおんなじ意味になるわけ？」

「どっちも同じってことがよくあるんだ。忘れないことだ」ラーミーンが言った。

「いかれてる」わたしはもう一度そう言ったが、それ以上議論をふっかけはしなかった。

空港ターミナルビルに着くと、急ぐからと言って、ラーミーンはわたしたちに待ち合わせ場所を伝えた。見ていると、その後、人混みをかき分けて真っ直ぐチケットカウンターに向かった。

「ご覧なさい。まるでケダモノね」母はチケットカウンターのほうを顎でしゃくった。「昔はもっと節度があったのに。落ちるところまで落ちた感じね」

三十分後、ラーミーンが群衆の中から吐きだされてきた。手にした三枚の航空チケットを振りながら、わたしたちのところへやってきた。チェックインカウンターで、ラーミーンはスカイブルーの怪物とわたしの旅行鞄と彼のバッグをベルトコンベアに載せた。隣のカウンターでは、男性がふたり、荷物の重量超過分を払わなければならなくなって、文句を言って騒いでいた。

「規定重量の二倍になります。みなさんがお客さまのようにエザーフェ・バール（超過手荷物）になってしまえば、飛行機は飛べません」イラン航空の女性スタッフが言った。

「飛べないとしたら、それは制裁〔イラン国内の人権侵害や核開発問題を受けて多くの国々が制裁を科している〕のせいで、俺たちのエザーフェ・バールのせいじゃないだろう」ふたりのうち太ったほうが答えた。

わたしたちのカウンターでは、ラーミーンがわたしたち三人を同じ並びの座席にしてくれるよう女性スタッフと交渉していた。母はそばに立って左下に視線を落とし、胸元で腕を組んだ手にパスポートを持っていた。その姿はベラスケスが描いた聖母マリアのようだった。母は祖母と違って、いつまでも乙女っぽいところがある。そう思ったとき、祖母がもうこの世にいないことを思い出した。

旅客機に搭乗すると、ラーミーンはわたしたちのあいだに座って、母に特派員の仕事がどんなものかを話した。母は、ジャーリストになる夢をわたしがあきらめてしまったのが残念でならないとぼやいた。

わたしは額を窓に当てて、外の景色を眺めた。わたしたちは砂漠の上空を飛んでいた。そのうちに一定の間隔で連なるクレーターが見えてきた。クレーターは地下を流れる用水路に通じている。このクレーターのことだけでイランに興味を覚える人が多い。この地下用水路《カナート》の研究に一生を捧げる人までいる。だが興味を示すのは大昔に発明され、計画され、掘られたこの地下用水路だけだ。周辺でなにが起きようと関心がない。地上の暮らしがどうだろうと、パンの価格やイスラム法にも、ここで暮らす人々がモハンマド・モサッデク〔一九五〇年代にイラン帝国首相を務めた政治家〕、モハンマド・レザー・パフラヴィー〔パフラヴィー朝イラン最後の国王〕、ホメイニーの名を聞いて、どんなに悲しみ、怒り、軽蔑しようと、どうでもいいのだ。もちろんテヘランからバムへ向かう機上からこの地下用水路を見た人間がなにを思おうと知ったことではない。もし関心を持つ者がいたら、わたしは答えるだろう。わたしが感じているのは罪の意識だ、と。

わたしが子どものころ、父がこの地下用水路の話をしてくれた。ペルシア人が成し遂げた精神的にも技術的にも類を見ない偉業だと、ケルン中心部に構えた商店のカウンターで父がスケッチしてくれたことがある。白紙をきれいに撫でつけて、まず山、そしてそこからいくつもの横穴を通って水が流れ、運河に集まって、谷へと下り、三本のナツメヤシの木を潤す様子を描いてくれた。

わたしは父のそばに立ってカウンターにかがみ込み、父に付き合って、もういいだろうと思えるくらいの時間そのスケッチを見つめてから、粗織のカーテンをくぐり、床にバービー人形を並べて寝かせていた物置に戻った。カーテンを透かして、しばらくじっとカウンターにたたずむ父を見ていた。父は右の前腕と手だけをしきりに動かし、スケッチを続けていた。砂漠の砂の一粒一粒を描いているように見えた。

だいぶ経って、オレンジを買いに来た客が父を現実に引き戻した。父はすぐ我に返った。オレンジを入れた袋をすかさず秤にのせ、値段をレジに打ち込むと、紙幣を受け取り、お釣りを計算して渡し、人なつこい笑顔で「毎度ありがとうございます」と言った。そして店のドアが閉まると、父はそのスケッチした紙を丸めて、カウンターの下のゴミ箱に捨てた。

わたしは物置から出て、父の横に立った。父は硬貨の包みをカウンターの角で破り、レジの小銭入れに仕分けていて、わたしを見ようとしなかった。午後のあいだも、夕方になっても、父は入ってきた客に応対し、愛想笑いをし、客を気にかけ、ピクルスが苦いかどうかといった話題にもちゃんと付き合った。だが父は知っていた。自分が条件反射で反応している機械なのだ、と。機械が生気を取り戻すことはあるのだろうか。わたしはそのことが気になった。父が生気を失った原因は自分にあると思っていたからだ。わたしは義務感からではなく、地下用水路《カナート》にもっと感心を示すべきだった。わたしは父の話に耳を傾けはしたが、バービー人形のほうに気持ちが向いていた。スヴァンチェの反対を押し切って父が買ってくれたバービー人形だから、店では隠しておかねばならず、遊んではいけなかったのに。わたしは地下用水路のことを詳しく聞くことはなかったし、スケッチを色鉛筆で塗ることもなかったし、あとで友だちに話すこともなかった。地下用水路はわたしの人生にとって、まったく意味を持たなかった。水が足りなくて、切実な思いをしたことなど一度もなかった。

バムで飛行機から降りると、暖かい空気に包まれた。わたしが振り返ると、母とラーミーンはうれしそうだ。たしかに家族の小旅行に見える。

7　エザーフェ・バール ――超過手荷物――

スカイブルーのスーツケースがベルトコンベアに載って出てきたとき、ほかの乗客はみな、ターミナルビルから消えていた。ほかのスーツケースと比べて年季が入っていたので、きっと怪しまれたのだろう。

祖母が使っていたとき、そのスーツケースは常に酷使されていた。「エザーフェ・バール（超過手荷物）」は祖母に付いてまわる言葉だった。この言葉を、わたしは「コス（陰部）」と同じくらい昔から知っていた。エザーフェ・バールはドイツ滞在中に山のように積み上がる。帰る日が近づいても、その山を崩せる見込みはまったくなかった。

祖母が帰る数週間前から、スカイブルーのスーツケースともう一個を浴室に運び、体重計に載せるのはわたしの仕事だった。体重計の針は毎回、想像を超えてはるか右を指す。計る度合いは日に日に頻繁になり、空港へ行く前夜には、一時間ごとに重さを計る。そうすれば、化学的に腐敗するか、奇跡が起きて重量が減るとでもいうように。五十キロ以上のエザーフェ・バール、つまり制限重量三十キロを五十キロも上回っていることに、さすがの祖母も焦りをにじませる。わたしたちは途方に暮れながら、浴室の床に置いたスーツケースを見つめる。スーツケースはまるで出産間近の極端に背の小さい女のようだった。

流れはいつも同じだった。祖母はパンパンにふくれたスーツケースを持ってケルン・ボン空港に到着する。家に着くと、スーツケースを開け、おみやげを分配する。乾燥した香辛料、ドライフルーツ、ピスタチオ、茶葉、絨毯。それ以外に、わたしには毎回エナメル靴を持ってくる。けれども、これが硬くて履けず、本棚の飾りにするほかなかった。祖母のスーツケースはいつも、ほかのイラン人のスーツケースと同じ匂いがする。それにわたしは魅了された。イラン人はどうして同じ匂いがするのだろう。二、三週間すると、その匂いは消える。だけどそれまでは家じゅうに充満する。どんな匂いか説明するのは難しいが、絨毯、ハーブのフェネグリーク、ピスタチオの匂いが混じった匂いだ。わたしは日に何度も子ども部屋の換気をし、その匂いが身体に染みついて、取れなかったらどうしようと戦々恐々となった。当時のわたしは、ドイツ人がイランに行ってスーツケースを開けたら、どんな匂いがするのか気になってしかたがなかった。

祖母はスーツケースを空にすると、すぐにまた埋め始める。ニベアのクリーム、チョコレート、ストッキング、テーブルクロス、パジャマ、私たちが譲った衣服。二十四人もの姪がヨーロッパからのおみやげを楽しみにしていた。定期的に祖母の家をノックする貧しい姪たちは子ども用の靴や転売できるものを欲しがった。

エザーフェ・バールが限界を超えると、祖母は悪夢にうなされる。ドイツ人の地上勤務員が夜中にやってくる。黒い制服姿の女は金髪をひっつめ髪にした男のような顔立ちで、ゴム製棍棒のようなきつい言葉遣いをする。それに対して、機関銃を構えたイラン人民兵の存在が祖母の心を慰める。

帰国の日には決まってこんな展開が待っていた。わたしたちは空港へ向かう。車にはスカイブルーのに加えてさらにスーツケースを二個載せる。そのうちのふたつは、どちらにしても必ず持っていく。三つ目には、いざとなったらあきらめてもいいものが詰めてある。チェックインカウンターの前に並んで、カウンターに近づくと、わたしたちは他の乗客たちを物色する。そういうことをするのはわたしたちだけではない。「荷物の少ない旅行者」は数に限りがあるので、みんな、鵜《う》の目鷹《たか》の目だ。機内持ち込み手荷物しか持たないビジネスマンがチェックインカウンターに現れると、祖母はすかさず近づいていく。

「すみませんが、持ち物はその手荷物だけですか？」

そうだ、とビジネスマンが答えると、母が媚びるような目つきをし、祖母は姪がたくさんいて困っていると嘆いてみせる。たいていの人が、なにをしてほしいのか分かっていて、すぐに引き受けてくれた。

今回旅をするのはわたしだ。イラン航空のチェックインカウンターにいた年配の女性がスーツケースを受け取った。葬儀に駆けつける者はたくさんの荷物を持つ必要がない。誰もおみやげを期待していないからだ。その点は助かる。わたしはたくさんの荷物を持って旅行するのが好きではなかった。

旅行でなくても、いろいろ持ち歩くのは好みではない。それでも片時も放さなかったものがひとつだけある。靴の空き箱だ。中には手紙と数枚の写真と、ドイツでの暑い夏の午後、クラといっしょに口から吐いて飛ばしたチェリーの種が入っていた。わたしたちはその夏、屋外プールの木陰でタオルを広げて仰向けになり、チェリーを食べながら、種をできるだけ遠くに吐いて飛ばす遊びをした。でも仰向けだったので、種は自分の上に落ちてきた。わたしたちは腹を抱えて笑った。クララはわたしの上に覆いかぶさると、わたしの両手を抑え、自分の髪でわたしの顔をくすぐった。わたしはクララと同じくらい力があった。いや、もっと強かったくらいだ。それでも、彼女を払い除けはしなかった。わたしはヒャアヒャア言いながら大声で叫んだ。とんでもなくくすぐったかったからだが、愉快でもあった。

脚の肉が弛《たる》んだ白髪の老人に、静かにしろとたしなめられた。クララは動じず、わたしに覆いかぶさったままその老人を見て、こう言ってのけた。

「それなら老人ホームに行きなさいよ」

「そうそう、ほかのおじいさんたちと遊んだらいいのよ」離れていくその老人に向かって、わたしも言葉を投げつけた。

それからわたしは、クララを一気に払い除けた。わたしたちは転げまわり、涙が出るほど笑った。クララは歓声を上げながらプールに飛び込んだ。わたしも歓声を上げてあとに続いた。わたしたちは水をかけ合った。クララはわたしの足をつかんで水中に引きずり込もうとした。クララにはすこし怖いところがあった。身勝手なところがあったのだ。すべてが自分のためにあるというように振る舞う。でもあの日は怖くなかった。その逆で、彼女のそういうところがわたしにも伝染した。わたしまで図に乗って、すべてがわたしのものになったような気持ちになった。プール、水、そこで泳ぐ人たち、日光浴するための芝生、プールぎわの木立ち、道路。わたしたちはその道路で自転車をジグザグに走らせ、教会の前を通った。金曜日に学校全体でミサが行われる教会だ。クラスの女の子たちが聖体拝領するのを、わたしはいつも横で見ているしかなかった。

ひとしきり暴れると、クララは水に飛び込んで死んだふりをした。わたしはしばらく水面に顔をつけた。太陽の光が屈折するのが見えた。その日の夕方、わたしは濡れたタオルにチェリーの種をいくつかくるんで帰り、靴の箱に収めた。わたしはクララと仲よくした記憶を大事に持っていたかったのだ。

祖母と母に連れられてパトカーの後部座席に座ったとき、わたしはその靴の箱を膝にのせた。

その車からキッチンの窓を通して、母の再婚相手であるヴォルフィが見えた。彼を目にしたのはそれが最後だった。母はわたしの服と下着をバッグに詰め、わたしはベッドの下にしまっていた靴の箱を持ちだした。いつもそうだった。母は実用的なものに目配りする。わたしにちゃんと身だしなみを整えさせ、お腹がすいていないかと気を使う。わたしはそれ以外のことに気を配った。

ドイツではその後も何度か引っ越したが、わたしは靴の箱に入れたものだけは手放さなかった。どの品も大切な思い出だ。年と共に新しく加わるものは少なくなっていった。将来思い出したくなるようなことがどんどん減っていったせいだろう。最後に入れたのは、ハンブルク・エッペンドルフ大学病院が発行した父への推薦状だ。父が遺した書類の中から見つけたものだ。

レザー・ナーゼミー氏は一九六四年十二月一日から一九六五年二月二十八日まで当研究所博士課程に在籍した。与えられた研究に熱心に取り組み、すぐれた実験者であることを証明した。同氏は研究への関心が高く、すぐれた理解力があり、同僚との付き合いもよく、主導した実験には非の打ちどころがなかった。ナーゼミー氏は当研究所を離れ、イランに帰国するが、祖国の発展におおいに貢献することだろう。

推薦状の文面はタイプライターで打たれていて、紙はすでに黄ばんでいた。あとは一束の写真しか父の思い出の品は残っていない。父は自分にまつわるものをあまり取っておかなかった。わたしは父のファイルからこの推薦状だけ抜き取った。そこに書かれていることが気に入ったからだ。「すぐれた理解力」、それに「非の打ちどころがなかった」。いいじゃないか。イランに帰国して、「祖国の発展におおいに貢献する」というくだりも好きだ。雄々しく聞こえる。だが、この物語がどういう結末を迎えたかまでは、どこにも書かれていない。その後、イランで夢も希望もない結婚をし、おまけに子どもをもうけ、アメリカ合衆国大使の誘拐に失敗して、終身刑の判決を受け、いきなり釈放されて、共産主義革命にのめり込み、結局、夢破れて、ふたたびドイツに舞い戻ってきたことなどは書かれていなかった。

一九八〇年代のはじめ、父は小さな旅行鞄をひとつ持って、ケルン・ボン空港に降り立った。何着かの衣服と故郷の村の写真数枚とこの推薦状を携えていた。多分この推薦状でなにか仕事にありつけると思ったのだろう。なにもなかったかのように、人生を続けられるつもりだったのだ。父はドイツで、少なくとも物質的にはエザーフェ・バール（超過手荷物）と無縁な第二の人生を歩み始めた。だが職探しはうまくいかず、バルバロッサ広場の近くに店を開き、毎日午前九時から午後七時まで食料品を販売した。フルーツ、野菜、バスマティライス、ナッツ、缶詰、酢漬け、アッサム茶、バラ水。そして孔子の名言をよくおまけにつけた。

最初の数年はほかの亡命イラン人、父と同じ毛沢東主義者やマルクス主義者や国粋主義者が店に立ち寄った。物置でスツールに座り、みんなで紅茶をすすった。みんな、長い時間黙って床を見つめていることが多かった。わたしはカウンターに立って、誰かが話の口火を切るのを固唾を呑んで待っていた。沈黙は耐えがたいものだった。そういうときには沈黙も付きもの、祈りの前の瞑想のようなものだと理解したのは、ずっとあとになってからだ。

来訪者の数はだんだん減っていき、父がまだ生きていて、働いていた最後のころには、オリーブ色の肌の、憂鬱そうな目をした白髪の男たちと店で会うことはまったくなくなった。数人の名前を覚えていて、父に消息を訊ねたことがあるが、父は唐突に果物のネクタリンの整理を始めた。

もしわたしが父の紹介状を書くことになったら、なにを書いたらいいか悩むだろう。たぶんこう書くはずだ。

父は自分の使える手段（言葉や感情など）を駆使して、与えられた使命を見事に成し遂げた。

その点、祖母とは大違いだった。祖母は送風機のようにすべてを吹き飛ばした。

8

アナール
――ザクロ――

ホテルは大きな土のサイコロを集めたような建物だった。小ぶりのサイコロが客室で、裏手にテラスと四角い小さな芝生がついていた。ラーミーンのサイコロはすこしずれた形でわたしたちのサイコロとつながっていた。わたしたちは早めに夕食をとることにして、大きめのサイコロにあるホテルのレストランで待ち合わせた。

客室の壁は下地がむきだしで、漆喰も塗られていなかった。天井は白いモザイクで飾られ、そこからは三本の鉄鎖でランプがひとつ下がっていた。母はテラスに面したドアを開け、ドアの前に取り付けてあった木製の格子戸を閉めたままにして、外の空気を取り込んだ。わたしは異様に真っ白なシーツに魅惑された。昼近くになっていて、太陽の光は格子戸を通して室内に差し込んでいた。どこからも物音がしない。車が走る音も、ドアを開け閉めする音も、呼び声も、挨拶を交わす声も聞こえない。わたしはうつ伏せになった。部屋の隅の床に置かれた磁器の大皿が目にとまった。アナール（ザクロ）が山盛りになっている。土色の背景に白い大皿、王冠のような萼《がく》がついている赤いフルーツ。これを絵にしたらオリエンタルな静物画になるだろう。

アナールの甘酸っぱい記憶に、思わず口がすぼまった。わたしは視線をそらした。

わたしの父は共産主義者だった。もっと正確に言うと、毛沢東主義者だった。でもアナールを食べるときはいつも神の創造物を敬うように振る舞った。店が暇だと、父は店内に並べたアナールをひとつ取って、物置にある椅子に座り、布巾を首に巻いて、別の布巾を膝にのせる。ちょうど子羊を屠《ほふ》るときのように。まず鋭い短刀を上部に差し込む。アナールの上部を切り取ると、中身が見える。次に白黄色の部分に沿って切れ込みを入れていく。わたしはその一部始終を見守り、種を傷つけませんようにと祈る。種が傷つくと悲惨なことになる。二度と消えない赤いシミがあちこちにつくからだ。父が種を落とすと、わたしは四つん這いになって、すり減ったペルシア絨毯に落ちたその種に触ってみる。父がアナールを割ると、小さな音がする。わたしたちはアナールの果肉を見つめる。無数の種がルビーのように光っている。朱色や真紅。卵巣を解剖して光を当てたら、こんなふうに見えるのだろうか。父は果肉をひとつはがして、わたしにくれる。わたしは種を噛まないように気をつけながらかじる。もし噛み潰したりしたら、口の左右から汁があふれ出て、手の甲と前腕を伝い落ちていく。長じてわたしは太腿の内側を血が滴り落ちる体験をしたが、まさにあれと同じだ。

あれはラーミーンと四度目の逢瀬を楽しもうとしたときのことだ。わたしはテヘランのどこかのアパートの浴室で五分ごとにタンポンを取り替えた。ラーミーンが何度もドアをノックしては、大丈夫かと訊ねてきた。わたしは平静を装って彼を追い払った。数分後、ラーミーンがまたドア口にやってきた。

「どうしたんだ？　浴室で夜を明かすつもりか？　それならここを借りる必要はなかったぞ！」

わたしは深呼吸してドアを開け、顔を覗かせた。

「わたしは殉教者の泉よ」

「なんだって……？」

「血が止まらないの」

わたしはまたドアを閉め、スカートとストッキングと下着を脱いで、できるだけ血を洗い流し、イランではどこでも全開にしてある暖房機にかけた。それから、わたしは黒いバスタオルを身体に巻いて、浴室から出た。

ラーミーンはわたしの髪を撫でた。わたしは彼の手を払った。

「誰が殉教者だって？」そう言って、ラーミーンは笑った。

「あなたよ」

「たしかに俺と代わってくれる奴はどこにもいないだろうな。俺は妻に嘘をつき、友だちのプーヤを住まいから追いだしておきながら、浴室の前で立ちんぼさせられるんだからな」

「どうなっているのか自分でも分からないの」

「一日にいくつアナール（ザクロ）を食べる？」

「三つか四つ。もっと食べる日もある」

「アナールは血を薄くする。その量だとアスピリンと同じ効果がある。知らなかったのか？」


父はドイツで暮らすようになってから毎日アスピリンを服用していた。血が濃かったからだ。粥のようにどろっとしているせいで、血管をうまく流れず、身体の隅々まで血が届かなかったのだ。例えば舌先まで血が行かない。だから父はいつも思うように舌を動かせなかった。

父が生まれた村は農業地域にあった。見渡すかぎりアナールの木が植わっていて、たわわに実る果実の重さで枝が垂れていた。地元の人間はアナールを食べ、ジュースにして飲み、煮詰めてシロップにし、肉料理の具材にする。たぶん先祖代々そこで暮らしてきた結果、父は血が濃くなったのだろう。きっと村人の多くは血が濃く、だから毎日アナールを食べて生き延びているのだと思う。だけど普通の人がアナールを食べると血が薄くなり、ちょっとした切り傷でも命に関わる。父は結局、胃癌で死んだ。やはり故郷に留まり、先祖が口にしてきたものを食べるほうがいいのかもしれない。異郷を彷徨《さまよ》うのは大きな犠牲を伴う。偽造パスポートや逃亡を手引きする者に払う金よりもずっと多くのものを失う。

アナールのせいで、当時わたしの血は奔流のように血管の中を流れた。ラーミーンはカウチに座って、足を上げた。わたしは身体にバスタオルを巻いて、窓際を行ったり来たりした。その住居は十七階にあった。しかも建物は斜面に建っていた。こういう状況でなければ、テヘランの夜景に魅了されていただろう。だが、わたしの思考は異常な速さで動いた。ここでなにをしているんだろう。この住居で、この街で、この国で。すべてが滑稽の極みだ。日中はスィヤーヴォシュといっしょにヘルムート・バイヤーを追いかけていた。裁判所から刑務所、そして裁判所に取って返し、また刑務所へ。その合間にわたしたちはオフィスに立ち寄って、記事を送る。ジャーナリストたちはみな、同じ言葉で書きだす。

ドイツ人実業家ヘルムート・バイヤーは違法な性交渉の罪で死刑を宣告され……

バイヤー事件は注目度の高い事件のひとつだった。セックスと政治が絡んだ事件だったからだ。未婚の男女のセックスはイランでは法的に禁じられている。ホテルの部屋でドイツ人とイラン人女性が密会。たまたまそうなったのか、意図的だったのかはこの際、関係ない。もしかしたら、これがはじめてではないかもしれない。ヘルムート・バイヤーはイランの女にご執心で、たくさんの女性と密会していたのかもしれない。アラーの呪いにさらされることなく。

ヘルムート・バイヤーはのちにこう証言した。「その人にはキスすらしていない。その人にドイツ語能力を磨きたいと言われて会っただけだ」女性の証言とは食い違っていた。だが、どちらが正しいかなど関係がない。結局のところ政治絡みだった。ヘルムート・バイヤーはジョーカーを引いてしまったのだ。二十世紀生まれで、政治問題に何の関心も持たない西洋人の誰が、石打ちの刑で死ぬことになるなどと思うだろうか。

ハンブルクの情報提供者から、わたしはヘルムート・バイヤーと長年の知り合いだという人物の電話番号を入手した。木曜日の午後、仕事を終える直前ですこし時間ができたときに、その人に電話をかけてみた。

「ヘルムートはなかなか難しい奴でね。友だちがいないし、女ともうまくいった試しがない。そのうえこれだもんな。まったくついてない」

わたしは礼を言って、受話器を置いた。

スィヤーヴォシュとわたしはヘルムート・バイヤーを一目見ようと数ヵ月にわたってエヴィーン刑務所の前に張り込んだ。彼がどんな様子かという情報だけでも記事になる。といっても、わたしたちが自分の目で確かめられるのはバイヤーの表情くらいのもので、あとはまことしやかに書くほかなかった。わたしは「しっかりしている印象を受けた」「落ち着きがなかった」「不安そうだ」といったふうに書いた。

待機中、わたしはよく刑務所の塀の上を眺めた。塀が途切れた先にはイランの青い空があった。二十年以上前、わたしの父もここに収監されていた。そのときもジャーナリストたちが取材合戦をした。セックススキャンダルではなく、本当の政治問題を取材する正真正銘のジャーナリストたちだった。そして、わたしの母は妻として何度ここに立ったことだろう。わたしは一度も母に訊ねたことがない。

「父さん《バーバー》が刑務所に入って、わたしがおばあちゃん《マーマーン・ボゾルグ》のところに預けられていたとき、母さん《マーマーン》はどうしていたの？　父さんのことを気にしていた？　それとも、父さんがいなくなって清々した？　ほかの男の人にキスをした？」

　そんな質問は一度たりともしたことがない。

　わたしは、母がそうしてくれたらいいのにと思っていた。母がテヘランでクラブ通いをし、父が獄中にいた二年間で一生分ダンスやパーティを楽しみ、男遊びをする。そのころの母が映っている写真を見ると、ミニスカートを穿いていて、楽しそうに見える。まさにティーンエイジャーのように。

　わたしは父に一度も訊ねたことがない。

「母さんが面会に来たとき、どんな話をしたの？　わたしを連れてきていた？　監房の壁にわたしの写真を貼っていた？　誰かアナール（ザクロ）を差し入れてくれた？」

　父が入院したとき、わたしは何時間も黙って付き添った。あのとき訊いてもよかった。けれど、バールででもなかったらこじ開けられないほど父の口は固かった。わたしたちはドイツに移住したあと、新しい言葉を使いだした。その言葉でなら、保護者参観日とかクリスマスプレゼントとか面会交流権とか、そういった実際に必要なことをじつにうまく処理できた。けれども、ケルン大学病院癌病棟〇〇三四号室で会話をするのに、新しい言葉はそぐわなかった。それでいて、古い言葉も失われてしまっていた。それなら急いでさらに新しい言葉を発明すればよかっただろうか。最後の最後にすべてに答えられる言葉の発明。だがそんなの、これで禁酒すると心に決めたアルコール依存症患者が最後に大量のビールを注文するのと同じで、往生際が悪いとしか思えない。わたしは過去にこだわりを持たなかった。

囚人服を着た当時の父は、ヘルムート・バイヤーと同じように滑稽《こっけい》に見えただろうか。父の囚人服はパジャマのようだった。まさかいきなり裁判所に引っ立てられると思わず、早々に寝る用意をしていたかのように。イスラーム共和国は見た目などほとんど気にしない。

ヘルムート・バイヤーが処刑されそうだ、とドイツに報告したあと、スィヤーヴォシュとわたしは別れた。わたしはラーミーンと出会い、ヘルムート・バイヤーが刑務所に収監され、生きて出られるか分からない状況に追い込まれる原因となったことをした。

「おい」そう言うと、ラーミーンは自分の身体の横を叩いた。「一晩中、窓辺に立ってるつもりか？」

わたしは振り返らず、返事もせず、そのまま窓の外を眺めていた。そこから見ると、道路を走る車列が黒いビロードの上にのった金のネックレスのようだった。「おばあちゃん《マーマーン・ボゾルグ》なら……」わたしは自分なりの言い方でラーミーンにたてついた。またしても、いや、いまだに、違う、相変わらずだ。

　ラーミーンは笑った。

「おばあさんのことなんて忘れろ。イランの現状なんて分かっていないさ」

「どういう状況なの？」

　ラーミーンは立ち上がって、腕を広げた。

「俺の友人プーヤのかみさんはこの場所を知らない。プーヤは恋人と密会するためにこの住居を構えているんだ」

　わたしは振り返った。

「どこの世界だって、そんなものじゃない？」

「そうかもな。しかしここでは身の破滅になる。文字通りの意味でだ。きみたちのドイツなら、ありがちな話ですむだろうけどな」

　ラーミーンの表情はどこかおかしかった。口の端は引きつっているのに、目のまわりの筋肉には変化がなかった。わたしはまた目をそらした。

「この隠れ家をあなたに貸すなんて、プーヤって人は親切なのね。どのくらいの頻度で借りているの？」

「二日に一度さ。だが今度、きみの月のものの日にはキャンセルする」

服が乾いたら、帰るつもりだった。不純なことなどするはずのない女子学生が住む寮に戻る。そこで温かい夕食をとり、二段ベッドで眠る。もちろん玄関では、黒いチャードルで顔を覆った太った女性が抱卵するカラスのようにじっと座って番をしている。そこを平気で通れる男はいないし、女子学生が夜出かけようとすれば、その女性は口紅を拭けと言うに決まっている。

「ここではみんな、西洋人と同じことをしようと一生懸命だ。だけど西洋人のことなど実際にはなにも分かっていない。連中はパラボナアンテナを取りつけて音楽専門チャンネルMTVを観るのが精一杯さ」

ラーミーンにはひねくれたところがなかった。特権階級に属し、もうすぐアメリカのグリーンカードを入手して国境を越えられると分かっているからだ。ラーミーンは山の中の別荘で催されるパーティのことをよく話してくれた。町から遠く離れているので、風紀警察官に見つかることはないという。仮に発覚しても、紙幣を数枚渡せばすむ。そして参加者は乱行に耽る。


目を覚ますと、日の光は消えていて、その代わりに母とラーミーンの声が格子戸を通して聞こえた。ラーミーンは大きな声ではっきりと言葉を発している。母はすこし小声だ。わたしはそのまま横たわっていた。だらっとしていたかったのと、好奇心に誘われたからだ。

「結婚したあと数日、バムで暮らしていました」

「どうしてまた？」

「わたしの意志ではありません」母はいったん言葉を途切らせてからさらに言った。「厳密に言うと、あのころはまだ自分の意見というものがなかったんです」

「何歳だったんですか？」

「十三」

「ご主人は？」

「二十歳上でした」

ラーミーンはなにも言わなかったが、椅子が軋む音がした。呆然としているようだ。わたしは、母が泣きだすのではないかと心配になったが、とくに感情の起伏もなくこう続けた。

「いまから思えば信じられないことです。でも当時はよくある話でした」

「しかし娘さんの話では、ご主人はドイツに留学した進歩的な方だったんですよね」

父《バーバー》さんは母《マーマーン》さんを十七歳だと思っていた。わたしはそう囁いた。

「わたしはかわいらしくて、実年齢よりも成熟して見えたんです」

わたしはその言葉を聞いて飛び上がると、格子戸を開け放った。下着姿のわたしを見るなり、ふたりは押し黙った。けれどもわたしは、いまの会話がどこへ向かうか是非とも知りたかった。

「でも、たぶん」母がまた口を開いた。「あの人は政治活動をしていることがばれないようにしたかったんだと思います。良家の出で、博士号を取得した立派な男性。親なら誰だって、そういう婿を夢見るでしょう。三十歳を過ぎても未婚だったら、怪しいと思われます。それはあの人にとって危険でしたから」

「なるほど」

「わたしは完璧なカモフラージュでした。夫が一週間帰らず、いきなり戻ってきても、疑問に思わないねんねでした」

　イランでの父の思い出といえば、たしかに父が帰宅したときの光景くらいだ。紺色のトレンチコートを着て、縮れた髪をして、顔中髭だらけ。そして祖母がハンドバッグを持つときと同じようにアタッシェケースを腕に抱えていた。父はわたしを抱いて、ジュージェ（ヒヨコ）と言う。息が臭い。それからわたしを下ろす。わたしは廊下にひとり取り残され、キッチンに入った父を追いかける。父は蛇口をひねってグラスに水を注ぎ、一気に飲み干す。父はグラスをすすぐと、逆さにして流しの横に置く。わたしの背後に誰かが立つ。母さんだと思って振り返る。ところが、その人の顔の輪郭がはっきりしない。父は毎日帰ってきたのか、そのときだけだったか、それも定かではなかった。あるいはそのシーンは、わたしの見た夢だったかもしれない。

「それにしても、ご両親はよく嫁がせましたね？」

「嫁がせたのは、わたしの母です。なにがなんでも嫁がせようとしたんです。あの人を恰好の獲物だと思っていたんです」

しばらく沈黙が続いた。レストランの厨房が近くにあるのだろうか、食器やカトラリーのぶつかる音が聞こえた。

母は大きく息を吐いた。

「この結婚はわたしの本当の運命じゃないという気がしていました」

「人生の中央官制室が些細なまちがいを犯すだけで、すべてがぐしゃぐしゃになるってことですか？　ありえないですよ。運命であるなら、そんな簡単に道をはずれたりしませんよ」

「わたしの母さん《マーマーン》を知らないからそう言えるんです。知り合う機会がなかったからという意味ですけど」母は椅子を引いた。母がどうするつもりか気になって、わたしはすこし背筋を伸ばして母を見た。「ところで、あなたはどうなのですか？　結婚したのはいつですか？」

「わたしですか？　結婚して十二年になります」

「結婚のきっかけは？」

「あるパーティで妻と知り合いました。カスピ海沿岸にある友人の家でした」

「恋に落ちたんですね？　すてきじゃないですか」

「愛を育む暇はなかったですね。妻はそのとき妊娠してしまったので」

「なるほど。結婚するしかなかったんですね。それじゃ、大きな子どものお父さんなんですね。いいじゃないですか」

「じつは結婚してすぐ流産してしまいました」

沈黙。格子戸を通して、母が彼の前腕に手を置くのが見えた。

「あなたにはかつて魅力を感じた女性がいる。しかも長年連れ添っている。言うことないじゃないですか」

「しかし、こんな言葉もあります。いっしょに暮らせる相手を探すな。一秒たりともいっしょに暮らせない人を探せ」

「この国の詩人はいいことを言いますね。でも、それじゃとんでもないことばかり……」

「ちょっといいかしら？　お腹がすいて死にそうなんだけど」

わたしはコートを着て、格子戸を開けた。ラーミーンがわたしを見た。母はわたしを無視して部屋の中を見ていた。

「起きるのを待っていた。行こうか」


ホテルのレストランで食事をすませると、ラーミーンはタクシーを呼んだ。助手席に座ると、運転手に、バム市内をぐるっと回ってから城砦に行ってくれと頼んだ。タクシーのルームミラーにはレアル・マドリードのワッペンがぶら下がっていた。

車窓からは、はるか彼方に雪を頂く山並みが見えた。その光景が、クレーンの林立する街に彩りを添えていた。わたしはそれを見て、躁と鬱の双極状態だと思った。街はいまだにあちこちが崩壊したままだ。まるでつい最近地震に見舞われたかのように。元はなんの建物だったのか想像もつかない壁の残骸。いまでも捜索犬がなにかを見つけて吠えそうな瓦礫の山。だが、その一方で躁状態を生みだす建築物もあった。例えば、できたばかりのサッカースタジアム。レアル・マドリードの寄付で建てられた、とタクシー運転手は説明してくれた。

「全壊したほうが、再建するのは楽です。神がこの次、俺たちを試すときは」運転手はルームミラー越しにわたしたちを見た。「もっと大きな地震を起こしてほしいもんですね」

「そういうものか?」ラーミーンが訊ねた。

「新しい建物のほうが頑丈です。金のない連中は土塀に古い米袋を張って補強しています。ドイツ帰りの建築技師がここに来て、教えてくれたんです」

運転手は自分の貧弱な胸を指差した。

「その人の専属運転手だったんです」

城砦は町はずれに広がるナツメヤシのプランテーションのすぐそばにあった。一見、砂の城のようで、建てた者にとっては誇らしいだろうが、ちょっと波をかぶれば洗い流されてしまいそうな代物だ。ラーミーンと母とわたしは城砦をそぞろ歩きした。通路の左右には崩れかけた土塀が残っていたが、その土塀はまるで百歳になるタジク人の腐った虫歯のようだった。すると突然、ある場所から完璧と言っていいほどきれいに仕上げられた新しい土塀に変わった。わたしたちはそこに掲げてあった案内板の前に立った。地震の前と後の写真が掲示されていた。

通路がアーチ状のトンネルになっている箇所だ。そこの現在と地震前の写真。たしかにいまのほうがよくなっているように見える。

ラーミーンは前に進み、建築中という札を無視して黄色い柵を乗り越えて、わたしたちにこの城砦の歴史についてちょっとしたレクチャーをした。どうやら事前にウィキペディアを読んできたらしい。この城砦は土で造られた世界最大の建築物で、築数千年と推定され、十九世紀以降、軍事的な城砦としては使われなくなったという。母はじっと話に耳を傾けてから質問をした。わたしはふたりよりすこし後ろを歩いた。土塀は沈みゆく太陽の光を反射して私たちの顔を黄金色に染め、ラーミーンの白くなったもみあげと美しいコントラストを成していた。その光景といったら、芸術的と言ってもいいくらいだった。

城砦の下で青い作業服を着た男が三人、土塀に漆喰を塗っていた。ラーミーンは立ち止まって声をかけ、いろいろ話を聞いては手帳にメモをした。母とわたしは、次の食事を楽しみにしている観光客ででもあるかのようにゆっくり歩き続けた。

ラーミーンがすこし離れると、母は廃墟に興味を失ったのか、なにか別のことを考えているようだった。

「いい人ね、あなたの同僚」

わたしたちはかなり風化した木の扉の前を通った。その扉にはドアノッカーがふたつ取り付けてあった。ひとつは丸みを帯びていて、もうひとつは尖っている。

「これ、見て！」

「ずいぶん目敏《めざと》いわね」

「やめてよ！　それより、これは男性用」わたしは丸みを帯びたドアノッカーで扉を叩いた。深みのある音がした。「そしてこっちは女性用」今度は尖ったほうのドアノッカーで扉を叩く。

「典型的ね。男性用のドアノッカーのほうがはるかにいい音がする」

母はわたしの上腕をしっかりつかんだ。祖母もよくそうした。

「なんでそのとき、あの人を捕まえておかなかったの？」

「そのとき？」

「知り合ったのは、あなたが二十五のときでしょ」

「母さん《マーマーン》、なにを言ってるの？　彼は結婚しているのよ」

「だからどうだと言うの？　もっといい男が現れると思った？」

もっといい男性が現れるなんて思わなかった。それどころか、自分が今後出会える男性の中でもラーミーンがベストだと思っていた。

イランを訪ねるたび、わたしはテヘランに立ち寄った。数年ぶりでも、ラーミーンとわたしはいつもすぐ打ち解けた。わたしは母のいとこのスィーマーの居間からラーミーンに電話をかけるたびに罪悪感を覚えた。隠しごとをしていることが奥さんに悪いと思ったからだ。そしてラーミーンがそういう目的で友人の隠れ家を借りることにも。

ラーミーンに電話をかけるとき、必ずしも彼と寝たいと思っているわけではない。むしろ今度は寝たりしないと心に決めていることのほうが多い。でも、毎回寝てしまう。ラーミーンはスィーマーのところに逗留しているわたしを迎えに来る。わたしはスィーマーに、ジャーナリスト仲間だと言って彼を紹介してあった。ラーミーンはドイツ人の女性ジャーナリストや日本人の動物保護活動家やイラン人のテクノのDJを紹介したいと言ってわたしを連れだし、実際には友人の隠れ家に直行する。わたしは、ドイツ人の女性ジャーナリストや日本人の動物保護活動家やイラン人のテクノのDJはどこにいるのと訊ねる。ラーミーンは笑って、わたしを抱き寄せる。わたしは自分が二十五歳に、いや、十六歳の若さに戻った気にさえなる。そのくらい身体は柔軟だった。棒のように硬くはない。わたしの胸は時と共に垂れ下がっていたが、タマネギをいくら食べても効果はなかった。

わたしたちが別れを告げるのは、たいていスィーマーの家の前に止めた車の中だった。その後、わたしは飛行機に搭乗し、滑走路から離陸すると、毎回、わたしたちはこれからどうなるのだろうかと思う。ドイツの自宅に帰って、まともなコーヒーを入れたらすぐに電話をかけよう。コーヒーカップを片手に窓辺に座って、第二次世界大戦後に建てられた建物の灰色の壁を見ながら、あなたがいなくて寂しいと言おうかと思う。けれども、イランからドイツへの空の旅の最中に、そんな気は失せてしまう。ケルン・ボン空港に着陸するころには、すべてが過去のものになる。飛行機から降りるのは別のモウナーだ。ラーミーンの記憶はガムのようにわたしにこびりついているが、ガムのようにすぐはがせる。家のドアを開け、干からびた竜血樹《りゅうけつじゅ》が目にとまるころには、恋と仕事を両立させるのは絶対に無理だと思ってしまう。彼が首から下げているアフラ・マズダー〔古代ペルシアに生まれたゾロアスター教の最高神〕の金のネックレスが目に浮かび、彼の笑い声と気の利いた物言いとわたし自身の笑い声が頭の中で聞こえる。だが恋に夢中になるのは実際には無理な相談だ。

　わたしはコーヒーをカップに注ぎ、クッションを窓枠にのせてもたれかかる。中央ヨーロッパの時間帯がわたしの生活リズムを決めるとき、わたしがどういう目で彼を見るか、彼には絶対に知られたくない。

　だがラーミーンは気づいていた。わたしがドイツに降り立つとき、わたしの中でなにが起きるかを。知り合ったはじめのころ、仕事でフランスに来ると、わたしに電話をかけてきて、なんとか会おうとした。接点を保って、ふたりの関係を続けようとしたのだ。わたしは決して電話に出なかった。ドイツでのわたしは別人だ。彼を失望させたくなかった。携帯電話の画面に彼の電話番号を認めると、わたしは携帯電話を遠くに押しやる。死神が電話をかけてきたとでもいうように。いや、もっと困ったことに、人生が電話をかけてきたと感じるのだ。

「もしもし、こちらは人生だ。なんで電話に出ないんだ？　なんだか嫌われているような気がする。そんなに忙しいはずがないだろう。世話をする子どもも大おばさんもいないシングルなんだから。ドイツの株価指数に名を連ねる上場企業の社長でもあるまいし。いったいなにをしてるんだ？　そうだ、自伝を書いてるんだったな。忘れていた。いかれてるよ。よりによってきみが自伝を書くなんて。タバコの吸いすぎで肺癌になり、五十八であの世行きになる不摂生な医者もいるから、ありえることかな。俺の電話が迷惑なら、はっきりそういうシグナルを送ってくれ。宙ぶらりんなのはごめんだ。おしまいにするって、そう言えばいいのさ。『あなたの考えることや望みや物語には興味がない。あなたが差し出す焼きたてのクロワッサンも欲しくない』そう言えばいいんだ。とにかく中途半端はよしてくれ！

そうそう、クロワッサンといえば、来月仕事で一週間パリに行く。パリへ来ないか？　数日楽しく過ごすことができるだろう。パリ、パリ、モナムール。仕事があるなんて言いっこなしだぞ。文章書きならどこでもできるじゃないか。君が文章を書くのは、そうすることでどこにでもいることができて、どこにもいないですむからだよな。もしもし？　聞いてるか？　嘘だろう。また切りやがった……」

わたしはいつも滅入っている。ラーミーンと知り合う前も、ラーミーンと知り合って以降も。わたしたちの関係はずるずる続く。

そして気分はますます滅入るばかりだ。最後に会ったのは、父を埋葬した直後だった。二年前、ラーミーンが父親になった直後でもあった。ラーミーンはいつもと違って、母のいとこのスィーマーがお茶に誘うのを断った。アパートの進入路の前に車を止めたからと言って。彼はわたしのために車のドアを開けた。いつもは絶対にしないことだ。

ラーミーンがエンジンをかけると、わたしは訊ねた。

「良心の呵責を覚えた?」

ラーミーンは助手席のヘッドレストに手を置いて車をバックさせ、袋小路から出た。

「良心の呵責、なんだいそりゃ?」

わたしが答える前に、ラーミーンはわたしがなにを生活の糧にしているか訊ねた。わたしはゴーストライターをしていると話した。

地下駐車場に入ると、ラーミーンは友人の隠れ家の駐車スペースに車を止めた。エレベーターの中では以前と同じピアノ曲が流れていた。十七階に着くと、いつも同じところでその曲が中断する。玄関のドアには錠が三つあり、毎度のことだが、ラーミーンが全身の力で押し、同時に持ち上げないとドアは開かなかった。隠れ家に足を踏み入れると、彼はいつも友人のプーヤが閉めていく濃い紫色のカーテンを開く。わたしは居間のチェストに載っているプーヤの写真を裏返す。プーヤにはいつも壁を見ていてもらいたい。わたしたちがいつも繰り返しているることだが、それは気持ちをごまかすためにしていることだ。そして数分後、プーヤが最近購入したというウォーターベッドにふたりして横たわり、その気持ちのごまかしは終わる。わたしたちはウォーターベッドの水の中で浮き沈みする。まずはラーミーンが沈み、次はわたし。

そしてまたラーミーン。動きにリズムが作れず、体勢が変わるたびに文句を言い、くすくす笑いながらまたやり直す。わたしたちは悪戦苦闘していた。

そのあとラーミーンは起き上がって、裸のままキッチンへ行った。冷蔵庫をガサゴソ探る音がして、食器戸棚や引き出しを開け閉めする音が聞こえた。ラーミーンは皿とナイフを持って戻ってくると、ベッドに座って、アナール（ザクロ）の皮に切れ込みを入れ始めた。

「じつは父親になった」

わたしはいつかそうなるだろうと覚悟していた。

「母親は誰？」

「心配するな。きみじゃない」

わたしは身体を起こして、膝を抱いた。

「ごめん」

「いいってことさ」

「どうして子どもができたの？」

ラーミーンはしばらく黙った。こんなことを質問されるとは予想外だったようだ。

「俺にはできるからさ」

「でも、子どもは欲しくないと言っていたじゃない」

「そうなんだよな。エリとのあいだに子どもは欲しくなかった」ラーミーンはちらっと顔を上げ、それからまたアナールに神経を集中させた。「だけど俺ももうすぐ四十になる。もう数年したら、エリと俺では欲しくてもできなくなる。できるうちになんでつくらなかったんだと思うかもしれないだろう」

ラーミーンはわたしにアナール（ザクロ）を一房よこした。わたしは種をいくつかかじって、皿に戻した。

「せっかくだけど、わたしには酸っぱすぎる」わたしは浴室に立った。わたしが横になっていたところを見ると、白いシーツのわたしの頭があったあたりにうっすらと赤いシミがついていて、中心に潰れた種が落ちていた。

ラーミーンは笑った。

「おいおい、処女だったのか？」

わたしはそのシミを見つめた。

「このシミ、取れないわね」

「気にするな。プーヤなら、俺たちがここに来れば、いろいろ汚すって分かっているさ」

わたしは毎回思う。これ以上汚れることはないと。

母はいまだにわたしの腕をがっしりつかんでいる。母の顎が女性用のドアノッカーそっくりに尖って見える。

「あなたのしていることが人生だと言える？　いったい、いつになったら目が覚めるの？」母はわたしの目を覗き込む。

わたしは笑うしかなかった。

「母さん《マーマーン》、やめてよ。自分の人生をちゃんと生きているなんて言える人がいる？　母さんはそう言えるの？」

城砦の上を旋回する二羽のワタリガラスが鳴いた。わたしたちは見上げた。ワタリガラスは本当に大きかった。これまでハシボソガラスを見てワタリガラスだと思っていたことに、わたしは気づいた。ラーミーンがそこへやってきて、信号の青そっくりの空をいっしょに見上げた。だがワタリガラスはとっくに姿を消していた。

9　ガリーベドゥースト

——外面がいい奴——

まだまだ汚れていく。

わたしはベッドに横たわり、横で寝ている母の息づかいに耳をすます。眠っているようだが、いびきが聞こえてこない。母が反応するかどうか確かめるため、左足を動かしてみる。肘をついて身体を起こし、右足を床につける。続いて左足。続いて腰を上げ、黒いコートを着て、静かにテラスのほうへ歩いていく。格子戸を開けるとき、きしむ音がした。わたしは身をこわばらせて立ち止まり、ベッドのほうを振り返る。うなじから首全体の筋肉が引きつる。だが、母は身じろぎひとつしなかった。

ラーミーンの部屋のテラス側のドアは施錠されていなかった。わたしはそっとガラスを押して、ドアを開ける。ラーミーンはベッドに座っていた。素っ裸で白いシーツを軽くかぶり、腕は頭の後ろで組み、足を身体に引き寄せている。真面目にそういうポーズをしているのか、わたしを笑わせようとしているのかよく分からない。わたしは隣に座った。

「母さん《マーマーン》がなかなか眠らなかったの。明日は紅茶に睡眠薬を混ぜようかしら」

ラーミーンはわたしの口に手を当てて、耳元で囁いた。

「もっと静かに」

知り合った当初から、ラーミーンはずっと同じアフターシェイブローションを使っている。海に潜り、素手で魚を捕まえる男を連想させるワイルドな香りのアフターシェイブローションだ。その匂いを嗅ぐのはひさしぶりだ。わたしたちは黙って座っていた。なんのために逢瀬の約束をしたのか忘れてしまったかのように。あるいは開始の合図が夜のしじまに鳴り響くのを待っているかのように。わたしはふたりで砂漠の中のベッドに座っているところをイメージした。ラーミーンは白い布にくるまり、わたしは黒い布に包まれて、わたしたちにはなんでも受け入れる用意がある。可能性は無限だ。なかなかいい図だと思ったが、しばらくして、わたしは疑問を口にした。

「なんでなにもしないの？　わたしにはもう魅力がない？」

ラーミーンはわたしの人生の新たな一面を知ることになった。母がわたしをどう見ているか知ってしまったからだ。

すっかりしょげてしまったわたしという生き物を、ラーミーンは膝に抱き寄せて、首にキスをし、肩甲骨のくぼみに鼻を埋めると、コートのボタンを外した。それを最後に、わたしはラーミーンを見るのをやめた。


「愛してる」とラーミーン。

「わたしのこと、よく知らないじゃない」とわたし。

「だからさ。俺はガリーベドゥースト（外面がいい奴）だ」

わたしたちは並んで仰向けになっていた。ラーミーンはシーツを引き寄せて、わたしたちの身体にかけた。数分後、彼は寝入った。

ガリーベドゥースト。ラーミーンはその言葉をわざと間違って使ったのだろうか。わたしと同じように。だが祖母はそんなことはしない。遊びに来た友だちのためにレモネードとケーキを盆にのせて子ども部屋に運ぶわたしを見たとき、祖母は小首を傾げ、目をすがめてこう言った。

「おまえはガリーベドゥーストだね。おまえの父さん《バーバー》と同じだ。お前は家族思いの人間にはなれないね」

それから、わたしが小さかったころに山へピクニックに行った話をした。家族のみんながわたしから百メートルほど離れたところに座って、バーベキューをしたり、冗談を飛ばして笑ったりしているあいだ、わたしはずっとひとりで小川のほとりにいて、次から次へと石を投げていたという。

「お前はせいぜい三歳だった。一日中、岩に座って無心に石を投げていた。わたしたちが立ち去っても、お前は気づかなかっただろうね。お前の父さん《バーバー》とそっくりだ。あの人も自分しか必要としない。よくて他人が数人」

祖母がこのときのことをしょっちゅう話したものだから、自分の本当の記憶かどうか分からなくなった。そのときの光景も、音も、匂いも、感覚も、すべて祖母の話によって数年かけて刷り込まれた産物かもしれない。でも、たしかに小川のせせらぎや、水面を跳ねる石の音や、ラム肉の串刺しが焼ける匂いを覚えている。そしてなによりも、背後で聞こえる笑い声。その笑い声がなければ、このシーンはまったく別物になる。でも、そのことを祖母に分かってもらうことはできなかった。

わたしは、ガリーベドゥーストという言葉が祖母にとって褒め言葉でないことを知っていた。ガリーベドゥーストは血縁を重んじない。友や知り合いこそ自分の血と肉だと言わんばかりにいっしょにつるむ。感情的あるいは金銭的に問題のある親戚に対して、この言葉は好んで使われる。それでいて祖母がこの言葉を口にするとき、なんとなく感心しているようにも聞こえた。わたしよりも、父に対してこの言葉を使うときがそうだった。父はもっとも遠いところにいる人間を一番愛していた。

そして祖母の言うとおり、わたしは父と同じように外面がいい。もちろん別の意味合いでだが。わたしはイラン人に魅力を感じなかった。ラーミーンに対してもだ。長身で金髪の男と子どもをもうけることができるのなら、黒髪で毛深い、わたしとたいして背丈が変わらない男と誰が子どもをつくるだろう。わたしの中にはそういうプログラムができあがっていた。ドイツにいるとき、バスの中や病院で、子どもたちを連れたトルコ人の母親を見かけるたび、おお、やだ、と思う。子どもは三歳で眉毛をふさふささせ、九歳か十歳の女の子が唇の上に産毛を生やす。そういう子じゃないほうがずっと楽だし、黒髪よりも美しいハチミツ色の髪のほうが好ましい。トルコ人と結婚しない理由としては充分じゃないだろうか。彼らの遺伝子がどうプログラムされているのか気になる。どうして、こうもわたしを突き動かすプログラムと異なるのだろう。

わたしは金髪の男に惹かれる。それは金髪のドイツ人に母の再婚相手ヴォルフィの面影を見なくなってからだ。それからは楽になった。ペルシアの女、共産主義者の娘。「革命」という言葉は消え失せて、わたしは輝く眼差しを武器にする。おしゃべりだけですまなくなると、事態はいつも同じ経過を辿る。金髪の男たちは、せっせとペルシア語を学びだす。教材を買い、語学コースを受ける。パーティにペルシア人を招き、映画館ではイラン映画を探す。

しかし、ペルシア語を十語以上覚えるドイツ人はいない。舌が回らずペルシア語に辟易《へきえき》する。映画の中の対話は冗長だとすぐ思うようになる。わたしはまたかと思って肩をすくめる。

それから金髪の男たちは思う。

「なんだよ、こいつはドイツ人そのものじゃないか！　ゴミを分別し、おしゃべりが苦手で、突然の訪問に眉をひそめ、ビールを好み、ろくすっぽダンスをせず、朝食を欠かさない。たとえ午後三時になっていても」

金髪の男たちは週末、大家族の集まりに呼ばれずにすみ、圧力鍋に羊肉を入れて持ってきてもらえれば万々歳なのだ。

だが、そのうち金髪の男たちは、なにかしらイランぽいものを見つける。遠慮がちなところとか、恥じらうところとか、行動や言葉でどうしても真似できないところとか。連中がはじめにわたしの人格の一部として評価する特徴だ。連中は化けの皮をはがしたとでも言わんばかりに勝ち誇る。おい、ちょっと待て。こんな変なところがあるじゃないか。エキゾチックで異国っぽいところが！


わたしは一度イラン人の男と付き合ったことがある。アーラシュという名だった。わたしの女友だちは彼のことをいつも「アルシュ〔ドイツ語で「尻」という意味で、侮蔑するときに使われる〕」と呼んだ。ジョークと受け取るべきなのは分かっていた。一九八〇年代の半ば、アーラシュの母親はほかの多くの母親と同じように、息子が金色のプラスチックの鍵〔イラン・イラク戦争時、イラン兵が天国に入るための鍵として胸にかけていたもの〕を首から下げて前線に送られないようにするため、ヨーロッパに送りだした。アーラシュはフランスの大学への留学が認められるのをイスタンブールで待ったが、結局ドイツで妥協した。フランスには一度も足を踏み入れたことがないのに、アーラシュはそこに行けさえすれば幸せになれると信じていた。それでいて、ケルンからフランス国境までたったの二百五十キロだというのに、車を飛ばしてそこまで行って、実際に車から降りて、いい気分が味わえるかどうか試そうとしなかった。

アーラシュは機械エンジニアの資格を取り、中堅の下請け企業に職を得た。誕生日にはシャンパンとケーキを会社に持参し、二間だけの新築アパートを、オリエント旅行をしたヨーロッパ人が往々にしてやりそうな設《しつら》えにし、週に一度、トルステンやミヒとビリヤードで遊ぶ。だがアーラシュはドイツ人を好かなかった。

「俺たちは朝から晩まで部屋にこもって、試験勉強をしている」アーラシュはドイツ人の同僚を訪ねたときのことをペルシア語で話してくれた。「それでさ、なにか酒のつまみを出してくれたと思うか？」

「当ててみましょうか」わたしはドイツ語でそう言った。ペルシア語を口にするのが嫌だったからだ。

「最高だったのは、午後になってそいつがキッチンでパンにバターを塗って、俺の前でむしゃむしゃ食ったことだ！」

「自分も欲しいと言えば、くれたと思うけど」

「俺をからかってるのか？　それともドイツで長く暮らしすぎたか？」

「両方よ」

「俺ならここで千年暮らそうが、そういう発想はしない」

「まあ、いいじゃない。大学を卒業して何年になる？　五、六年？」

「こういう話をいくらでも知っている」

イラン人なら、さもありなんだ。たいていの者はそのうち、そういうことを話題にしなくなる。なかにはそうしたドイツ人気質を短所ではなく、長所としてもてはやす者も出てくる。招いた客の全員分の料理がなかったって？　ドイツ人は無駄を嫌うからな。食べ残したライスと肉をイラン人みたいに大量に捨てるよりましだ。ドイツ人が、今日は時間がない、今度またと言ったって？　だけど玄関で追い払わなかったのなら、それは相手を傷つけないように本気で会話をする用意がある証だ。ドイツ人が階段で挨拶をせず、あんたの年とった母親のためにドアを開けておいてくれないって？　ドイツ人は本当に思ったことだけをする。ドイツ人がもし「きみのことが好きだ」と言ったら、一生信頼できる。ドイツ人が外国人の悪口を言ったって？　それは当たっているからさ！　トルコ人がこの国でなにをしているか、よく見てみるんだな。アラブ人ならなおさらだ。そして俺たちイラン人は言うまでもない。俺たちがイランでアフガン人をどう扱っているか考えてみろ！

そういうことを言う連中は、ドイツ人についてとんだ勘違いをしている。

アーラシュはそれに与《くみ》しなかった。ドイツで暮らすイラン人の絶滅危惧種だった。

「数ヵ月前、俺は料理をして、同僚を招待した。そうしたら同僚のかみさんのひとりがパスタサラダを持ってきたんだ！　いや、違う。トルテリーニサラダと言ってた」

「親切じゃない」わたしは思わずあくびをした。

「なんで作ってきたと思う？　お返しに招待しないですむようにさ」

「きっとなにか勘違いしただけよ」

「俺は食事に招待すると言った。それをどう勘違いするんだ？」

「もしかしたらラム肉が苦手だったのかも。ドイツ人には苦手な人が多いでしょ。あなたを傷つけたくなかっただけじゃないかな」

　アーラシュはわたしを見つめた。そういう発想がなかったのだ。自分の世界観に亀裂が走る前に、アーラシュはまたノートパソコンに向かい、わたしを膝に座らせた。わたしはドイツでイラン人の膝に座る感覚を味わった。植物人間になったような気分だった。

　アーラシュは画面を指差した。グーグルアースに山が映っていた。

「今度いっしょにこのダマーヴァンド山〔イランの最高峰〕に登ろう」

「高さはどのくらい？」

「五千メール以上ある。だけど技術的には難しくはない。ただ高いだけだ」

「ずいぶん簡単に言うわね」

　アーラシュは画面をズームし、角度を変えた。わたしたちは山頂に立った位置で見ていた。それがどんな感じか、わたしは想像してみた。いっしょに山頂の景色を眺める。わたしたちの景色、わたしたちの国。わたしにはできなかった。わたしはたしかに山頂に立ったけれど、彼は別の頂、別の国の頂に立っていた。

「ここからカスピ海が見える」

アーラシュは尾根の向こうの青く見える部分を指差した。わたしたちは画面の方角を変えた。

「この先にあるのがテヘランだ」

わたしは画面に顔を近づけた。

「そんな遠くまで見えるなんて、すごいわね」

「イランが恋しくなるのはまさにそこだよ。ドイツでは遠くまで眺めることができない。必ず高速道路が景色を台無しにする」

わたしはノートパソコンを閉じて立ち上がった。

「さあ、もうダマーヴァンド山なんて子どものお遊びはおしまい」

一時間後、彼の家の前で自転車の鍵を開けたとき、わたしはアーラシュの電話番号を削除した。彼と同じ人生を歩むなんて、まっぴらごめんだった。

それでもアーラシュは、わたしにとってイラン人との付き合いの長さでは記録保持者だった。ドイツであんなに長く付き合えたイラン人はいない。イラン人と知り合いたいという誘惑は、はじめのうちは大きい。なにごともゼロの状態から始めずにすむからだ。いちいち説明しなくていい。映画の『星の流れる果て』〔イラン人医師と結婚したアメリカ人女性の実体験を描いたノンフィクション『マートブ！ 自由を求めて』を原作とするアメリカ映画〕を見せる必要もない。そう考えられるのはいい。けれども、すぐにまた背を向けたくなる、もっと強い未知の力も存在する。それは現地の人間の中で付き合う人間を探したほうがいいという気にさせる力でもある。じつは同胞とくっつく気などないことに、誰も気づきたくないのだ。

目を覚ますと、夜が明けていた。わたしはぎょっとして跳ね起き、テラスのドアまで走ってからいったん立ち止まって、息を整えた。ラーミーンは頭と手を上げ、まるで負傷兵かなにかのように指だけ動かした。

母はベッド全体を占拠していた。表情を見るかぎり、複雑な法廷サスペンスの夢でも見ているようだ。わたしは自分の側にわずかに残ったスペースに横たわった。身を硬くして、ベッドから落ちるのではないかと不安になりながら。早起きの宿泊客が朝食をとりに行くころ、わたしはやっと眠りについた。

ラーミーンは午前中、市長と会う約束があった。母とわたしは新しいバザールを見ることにした。フロント係がレアル・マドリードのファンのタクシー運転手を電話で呼び、十五分後、ホテルの玄関でクラクションが鳴った。

「お客さんたちは幸運を運んでくれました」タクシー運転手はわたしたちの顔を見るなり言った。「家内が昨晩、健康なかわいい女の子を出産したんです！」

母は言葉を尽くして祝福し、わたしはただ「おめでとう」とだけ言った。

「あなたの名前はモウナーですよね？」運転手がわたしに訊ねた。「うちの子もモウナーと名づけます。お客さんたちがこのあとも幸運を運んでくれますように！」

わたしはうなずいて感謝した。名誉なことでうれしいが、一抹の不安も交じっている感謝の表明だったような気がする。

タクシー運転手の話では、妻はすでに四十五歳で、最近、高血圧になり、膝に水がたまり、赤ん坊が足から生まれてくるのではと気を揉んでいたらしい。

「まったく足から生まれてくるなんて！」運転手は何度もそう繰り返しながら、赤信号を無視して、トラックの運転手にクラクションを鳴らされた。「元気な赤ちゃんです。ものすごく幸せです。これ以上望むことはありません」

幸せ？　ビールを三杯飲んだあと、ダンスフロアに立つ。天井は高く、身体を突き抜けるベースの低音があらゆるものを振動させている。まわりの人々には、どこかで出会ったことのある見知った顔が多く、「羽目をはずさせてやる」というＤＪの言葉にわくわくする。そして感情のダムが決壊して、巨大な波がわたしたちをのみ込む。一週間前、テヘラン行きの飛行機に搭乗するまでは、そういうのがわたしにとっての幸せだった。

わたしたちはナツメヤシの林を走った。林の前では小さな少年と父親が地面に座り、一足のビニールサンダルと数個のタバコを並べて売っていた。わたしはふと思った。大きな波にさらわれたら、みんな、どこかに流れ着き、ああやってはじめからやり直すんだなと。

新しいバザールはウェスタンシュタット〔かつてドイツにあった西部劇の世界を楽しむテーマパーク〕に似ていた。中央に通路が伸びていて、左右に新築の平屋の店舗が並び、通路を覆う屋根でつながっている。店主は山盛りにした香辛料や堆《うずたか》く積み上げたTシャツの奥に座って、新聞を読んだり、電話をかけたり、うたた寝したりしていた。わたしたちは通路を順に歩いた。カウボーイブーツの形をした塩入れと胡椒入れ、ストッキングを穿いた足だけのマネキン、遠吠えをするオオカミがデザインされた毛布が並んでいた。

　母は足を止めて、「あなたの唇が恋しい《ミス・ユア・リップス》」というロゴ付きのパンティ三点セットを手に取った。十六歳くらいの売り子がズボンのポケットから携帯電話を出して、画面を叩いている。わたしは母の腕を取って、足早に立ち去り、店から数メートル離れたところでくすくす笑った。

「あなたは、母さん《マーマーン》がドイツに持ってきたパンティを覚えてる？　前の部分に錠前と鍵がプリントされたパンティ」

「そんなのがあったわね！」

「でも役には立たなかった」

「どういうこと？」わたしは絞りたてのフルーツジュースを売るスタンドの前で立ち止まった。

店主らしい老人が腰を上げた。

「母さんはいつも開放的だった。父さん《バーバー》が死んだあと、わたしのいとこたちは母さんのところで男と密会していた。でも母さんはいつも他人にはパラボラアンテナの調子が悪いから、電気屋さんに来てもらってると言っていた」

「おじいちゃん《バーバー・ボゾルグ》は一度しか抱いてくれなかったって、おばあちゃん《マーマーン・ボゾルグ》が言ってた」

「父さんが？　それ、本当かもしれないわね。父さんは世捨て人だった。わたしが生まれてすぐそうなったんだと思う。虚ろな目をして、猫背だった父しか知らない。家にいるときは書斎にこもって、窓際のデスクに向かい、フェルドウスィーの『シャー・ナーメ』〔古代ペルシアの神話や歴史を集大成した叙事詩〕を読んだり、書き物をしたりしていた。アラビア書道を愛していた」

「なにを書いていたの？」

「詩だと思う。ゴミを集積所に運んだとき、ちぎったメモ用紙がゴミコンテナーに入っているのを見つけたことがある。美しい書体で『人生とは学校から帰りくる子どもなり』って書いてあった。わたしはドキドキした。父さんの人生でわたしが大きな役割を担っていることにそれまで気づいていなかったのよ。残りの紙切れを見つけようと取り憑かれたみたいにゴミを漁った」

「見つけたの？」

母はジューススタンドにいる老人のほうを向くと、アナール（ザクロ）のジュースを二杯注文し、チャードルの端で左右の目の下を拭いた。わたしは母の横に立った。わたしは祖父が書いたというその詩を知っていた。どこかで聞いたか、読むかしたことがある。だが、そのことは言わなかった。

わたしたちは、老人がアナール（ザクロ）を搾るところを見た。アナールを両手でぐっと押さえて、心臓マッサージでもするように揉んでから、巨大なニンニク搾り器のようなものに入れて、レバーを下げた。搾り器の下に置いたカップに真っ赤なジュースが注がれる。老人はもう一度レバーを下げた。縦に走る額の血管が浮き上がるほど強く。それから搾り器を開けた。母とわたしは潰れたアナールに目が釘付けになった。

「よく覚えているんだけど」母は潰れたアナールから目を離さずに話を続けた。「母《マーマーン》さんはバスの中で絶えず男たちに秋波を送りながら、父《バーバー》さんと暮らすのがどんなに大変で、自分がどんなに献身的かって話し、必ずわたしの頭を撫でた」母はため息をついた。「母さんとバスに乗るのが好きだったわ」

老人はカウンター越しにプラスチックカップをふたつよこした。ストローでジュースを吸いながら、わたしたちはさらに歩いた。一番奥の店で、わたしはベージュのクルド風ズボンを買った。ヤンへのおみやげだ。

ヤンとは数ヵ月前、ケルンの動物園で知り合った。動物に興味があったわけではない。オフィスをシェアしている仲間が、わたしがヒヒを面白いと言ったとどこかで聞きつけて、三十四歳の誕生日に仲間たちから動物園の年間チケットをプレゼントされたのだ。特別感激しなかったのは、もっと変なプレゼントだってもらったことがあるからだ。夏に仕事が早く片付くと、わたしはよく動物園へ行って、ヒヒを眺めるようになった。メスが互いにノミを取る様子。若いヒヒが取っ組み合いの喧嘩をして仲直りし、また喧嘩をする様子。オスが歯を剝いて吠え、相手を尻込みさせる様子。餌をもらったとき、一番大きなオスがほかのオスを追い払う様子。ヒヒは群の中の順位に従って餌にありつく。人間の生きざまをクイックモーションで見ているようだ。案内板には、ヒヒの行動範囲は非常に広く、ほかのヒヒ属とつがいになることもあると書いてあった。生存するために攻撃的になることも、温厚に振る舞うこともある。また群れやハーレムをつくる場合も、一匹狼でサバンナを彷徨う場合もある。

どのくらいベンチに座っていたか覚えていないが、彼が突然わたしの前に立った。背が高くがりがりに痩せていて、左手に三脚、右手にカメラを持って、リュックサックを背負っていた。

「ここで夜を明かすつもりじゃなければ、出口まで付き合ってくれないかな」ヤンはしゃがんで三脚をたたむと、半分口を開けたままの黒いリュックサックにそれをカメラといっしょに突っ込んだ。

「なんですって?」わたしは時計を見た。六時五分前。わたしは勢いをつけて立ち上がった。

「本当だわ。ありがとう」

ヤンはリュックサックを肩にかけた。わたしたちはここへ来たときもいっしょだったかのように、ごく自然に並んで歩きだした。

「夏の夕べの猿山は美しい」

ヤンは、にやっとして横からわたしを見た。わたしたちは片足で立つフラミンゴを右に見ながら出口に向かった。

「ようやくわたしのことが分かる人に出会えたわ！」

「それは生憎だな。俺は仕事で来てるんだ」

「猿のポートレート専門のカメラマン？」わたしはふざけるつもりもなくそう言った。どうやらヒヒのところで時間を過ごしすぎたようだ。

ヤンもそうらしく、大きな声で笑った。ヤンの笑い声に応えて、近くの動物がうなった。

「まあ、そんな感じかな。ぼくは写真集を作ってる。政治家と猿を並べた写真集さ」

ヤンはその仕事に本気のようだった。ユニークでいかしていると認められたい欲求も、そう見られないのではないかという不安も感じられなかった。

わたしはただ「ふうん」と言った。

「今後はヒヒに集中しようと思ってる。よく見ると、ヒヒには人間の性格が見てとれるんだ。最近では人間の顔がヒヒに見えてね」ヤンはふと立ち止まると、背後の猿山を指した。「じつを言うと、この国の政府はあそこだ」

わたしは大げさにげらげら笑った。ヤンの写真集の計画に興味が持てない自分の気持ちを相殺しようとするかのように。

出口に近づくと、ほかの来園者も集まってきた。腕を組んだカップル、ねちっこく蛇の攻撃態勢について講釈する息子とその父母、後ろから見るとハイエナそっくりの、空のバケツを持った飼育係。

出口のそばで、わたしたちは動物たちと別れたくないかのように歩みを遅くした。あるいは別れたくないのは動物たちのほうだろうか。最後の来園者が立ち去ると、動物たちの存在は消えてしまうかもしれない。門に向かってゆるゆる歩くわたしたちを、警備員がじれったそうに待っていた。

ヤンは自分の仕事の話をした。フリーの仕事のいいところと難しいところ。それでいて、わたしの名前がどこから来るのか一度も訊ねなかった。

わたしは自転車が動物園の自転車置き場にあることを言わずに、そのままヤンと歩いた。どこへ行こうか話し合うでもなく、旧市街のアイゲルシュタイン通りで軽食屋に入り、当たり前のようにファラフェル〔ひよこ豆やそら豆を香辛料であえて油で揚げた中東の料理〕を二人前注文した。しかもパンにはさむのではなく、薄いパンケーキに巻いて。そのあと、わたしたちはバーに入って、窓辺に陣取った。ヤンは右側の窓枠に、わたしは左側の窓枠にもたれかかった。窓枠は人ひとり座れる幅しかなかったので、わたしたちは半分腰をかけ、片方の足を床につけた。わたしたちは音楽や映画の話をした。初対面の人とはそういう話題がいい。ジントニックをグラス半分くらい飲んでから、わたしは好きなバンドの話や最近映画館で見た映画のことをたくさん話した。ヤンは自分が好きなバンドや映画の話をした。気づくと深夜になっていた。わたしは終電になんとか間に合って、窓際の席に座った。嗅ぎ慣れない洗剤の匂いがした。ヤンは半分開けっぱなしのリュックサックを肩にかけて、車内のわたしに手を振った。

バーで床に置いたヤンのバッグのファスナーが開いているのを見て、何度も閉めたくなったが、そのままにした。ヤンとの関係でいいところはお互いに干渉しない点だ。相手への関心に節度があった。それもいい意味で。ヤンの関心は自分のこと、自分の計画のこと、セックスや仲間と酒を飲むことや音楽、映画という趣味に向けられていた。日頃からフィットネススタジオに通って身体を鍛え、健康的な食事を心がけ、いつも職探しをしている。わたしたちはいまでもほどよく他人でありつづけている。だから四ヵ月も続いているのだろう。わたしは彼の心の深奥を見たくない。そもそもそんなところなど最初からありそうではないような気がする。彼の両親とは電話で話すばかりで、一度しか会ったことがない。両親もケルンに住んでいて、毎月ヤンに生活費を振り込んでいるというのに。両親からの振込については、置きっぱなしになっていたヤンの預金通帳を見て知った。親とのいざこざは一切なく、ぎすぎすしたところも、ねちねちしたところもない。ヤンと両親はなんでもずけずけと言える仲で、基本的に言葉を必要としていない。ヤンは電話でわたしの話をしたこともある。カメラの新しいレンズでも買ったかのようにさりげなく。そのときも両親は期待や希望を押しつけることも、根掘り葉掘り訊ねることもしなかった。それでも一度だけ、ヤンから要求されたことがある。キッチンでコーヒーをいれていたとき、肩の力を抜いて、身体を後ろに反らすんだと言われた。

「そんなんじゃ、うなじが凝るし、見ていられない」

姿勢についてだけはうるさかった。わたしは言われた通りにした。そう、こういう関係なら続けられる。

「そのズボンは誰にあげるの?」タクシーの中で母に訊ねられた。

「自分用。カーニバルにいいかなと」

10　シェルキャテ・ナフト　―石油会社―

夕方、わたしたちはレストランでラーミーンと待ち合わせた。わたしは温かいライスボールを注文して、たらふく食べた。そのあいだ母とラーミーンは政治の話をしていた。二度ほど口をはさみたくなったが、食べ物を頬張っていたので、黙っていることにした。十時ごろ、まぶたが重くなったので腰を上げ、ラーミーンをすこしばかり長く見てから客室に戻った。

三十分後、わたしはベッドに倒れ込んだ。クリスマスだと気づいて、急に目が冴えた。身体を起こして明かりをつけ、なにか読もうかと思ったが、すぐにその気が失せた。シーリングファンが動くか確かめようと、ナイトテーブルに組み込まれているスイッチを入れた。すると、母が祖母の家から持ってきて、テーブルに置いていたA4サイズの茶封筒が風に吹かれて動いたので、封筒の下にある写真の束が目にとまった。わたしは送風機をいったん止めてから、またつけた。封筒が床に落ちるまで、つけたり、止めたりを繰り返し、それから写真の束を手に取ってベッドに腰かけた。

一枚目は祖母が若いころのモノクロ写真だった。祖父との写真、姉妹との写真、母親との写真。赤ん坊を腕に抱いている写真もあった。祖母は大きな魚でも抱えるみたいにカメラに向かって赤ん坊を差し出している。それを見て、母が赤ん坊のわたしを抱いている写真を思い出そうとしたが、まったく覚えがない。父の写真もないし、そもそもまともに写真がない。わたしが知るかぎり、わたしたちの一番古い写真はドイツで撮ったもので、幼稚園の夏祭りのときのものだ。先生がシャッターを切った写真で、誕生日にプレゼントとしてもらった。

次の写真は集合写真だ。椅子に座る三人の人物をおおぜいが囲んでいる。真ん中にいるのはファラフ・ディーバ王妃〔パフラヴィー朝イラン最後の王妃〕にまちがいない。王妃の真ん前でカメラマンが三脚を立てている。王妃はなにかに署名しているようだ。わたしはその写真を仔細に見た。右側に座り、背筋を伸ばして王妃のほうにかがみ込んでいるのは父だ。わたしは人々の顔を順に見ていった。左前面に膝丈のチェック柄のドレスを着た女性がいる。祖母のようだ。祖母は父に笑いかけている。写真を裏返して、日付を確認してみたが、七と八のアラビア数字がうまく見分けられないし、イラン暦を西暦に換算できなかったので、早々にあきらめた。

母がゆっくりドアを開けて入ってきたが、壁にぶつかりそうになった。

「あら、まだ起きていたの？」

「この写真を知ってる？」わたしはその写真を母に見せた。母は写真を両手で持って、ベッドに座った。

「あの日ね！」母はしばらく写真に見入った。「わたしたちは何週間も前から楽しみにしていた。三日前の夜なんて、わたしはベッドの中で目が冴えてしまって、王妃様と握手したときになんて言おうか考えたりした。そして前の日、わたしたちは仕立て屋に行って、母さん《マーマーン》はこのチェック柄のドレスをもっと身体にフィットするように仕立て直した。母さんはなにも食べず、減量してた。そのドレスは元々礼服として特別に仕立てたものだけど、三回も……」

「おばあちゃん《マーマーン・ボゾルグ》は父さん《バーバー》にうっとりしているみたいね」

母が顔をしかめた。

「まさか。ファラフ・ディーバ王妃を見てるんでしょ」

「でも、よく見て。おばあちゃんの目は父さんに向いている」

母は目をすがめ、もう一度確かめる仕草をした。

「ファラフ・ディーバ王妃の左隣にいる人を見ているんじゃないかしら。ホセイン・ゴラームプールよ。シェルキャテ・ナフト（石油会社）の大物。おまえの父さんが刑務所に入っていたとき、わたしに色目を使った。わたしはまだ幼すぎて、世間知らずだった」

わたしは母から写真を取って、もう一度じっと見た。

「おばあちゃんはその石油大臣なんて見ていないわ」

「石油大臣ではないわ。石油会社の社長よ！」

「だけど母さん、おばあちゃんはまちがいなく父さんを見てる！」

「そんなことないわ。ファラフ・ディーバ王妃を見てるのよ」

「違うわ！　これは男を見る目つきよ。王妃じゃない！」わたしは叫んだ。

母はその写真を元の束に戻して、全部封筒に入れた。

「それならそれでいいじゃない。王妃を見るときの目つきがどういうものか知っているとはね」

母は浴室に入ってなかなか出てこなかった。わたしはトイレを使いたくなって、ドアをノックした。


わたしが浴室から出ると、母はテーブルのそばに立って、また写真の束を手にしていた。

「なんでこの写真を取っておいたのかしらね」母はそう言って、わたしに写真をよこした。

母と祖母が腕を組んでいて、その横に母の二度目の夫ヴォルフィが立っている。背後には高層のホテルと庭園が映り込み、陽の光がさんさんと降り注いでいる。ヴォルフィはベージュの帽子をかぶり、政治家のように見える。母や祖母よりも頭ふたつ分背が高い。

「これはどこ？」

「カスピ海。ハネムーンで行ったのよ。結婚前からあの人と行くことになっていたんだけど、結婚しなければよかったわ」母はいったん言葉を切った。「結婚はバカンス先で路上画家の絵を買ったときに似てる。買ったときは、すてきだと思っていても、家に帰って荷を解くと、恥ずかしくなる。イランを出たあと、わたしたちの関係は一気に冷え切った」

母とヴォルフィの熱い関係が続いたころは人目につかないようしていたに違いない。わたしには関係がしだいに冷え切っていくところしか記憶にない。なにも訊いていないのに、ヴォルフィが蘊蓄をたれるようになったとき、なにかに傷ついている、とわたしは直感した。

「寄生虫という言葉を知ってるか？」ヴォルフィは言った。わたしたちは車の中にいた。わたしは後部座席の真ん中に座って、運転席と助手席のあいだに身を乗りだしていた。

「寄生虫というのは」ヴォルフィは続けた。「他人に食わせてもらっている奴のことだ。怠け者で、自分ではなにもしない奴だ」

わたしはうなずいた。

「ナヒドとその旦那は寄生虫だ」

わたしはどう反応したらいいか分からなかった。母の学校時代の友だちナヒドとその夫ベフローズは二年前にドイツへ移住してきた。娘といっしょに我が家から通りを二本行ったところにある二間のアパートに住んでいた。ベフローズはたいていテレビを見ていて、たまに読書をした。わたしたちが午後ナヒドを訪ねると、ベフローズはちょっと挨拶しただけで、寝室に下がってしまう。「あの人は建築家で、皇帝《シャー》の下で新しい国立銀行を設計したのよ」わたしは母がヴォルフィにそう言うのを何度も耳にした。

「ナヒドとベフローズのところの家賃を誰が払っているか知ってるか?」ヴォルフィが挑むように訊ねたことがある。

わたしは懸命に考えたが、答えを言う暇はなかった。ヴォルフィはそのことを自分で言いたかったのだ。「社会・福祉・局」。高速道路に乗ったところで、ヴォルフィは速度を上げて、ギアを5速に入れた。「社会福祉局、貧しい奴に金を施す役所だ。俺みたいな毎日八時間労働をする人間から集めた金をな」

「それじゃ、ヴォルフィもナヒドの家賃を払ってることになるわね」わたしは呆れてしまった。

「なかなか鋭い」

ナヒドは社会福祉局という言葉を一度も使わず、シェルキャテ・ナフト(石油会社)が支払っていると言った。

「今月はまだシェルキャテ・ナフトから振り込まれていないのよ」

「今日は午前中ずっとシェルキャテ・ナフトにいた」

「ベフローズがシェルキャテ・ナフトに行かないから、いつだってわたしが行くしかないの」

ヴォルフィは車での移動中にいろんな話をしてくれた。わたしはじっと耳を傾けて、物知りだなと感心した。ろくでなしだと母さん《マーマーン》に気づかれてから、ヴォルフィはわたしの歓心を買おうと躍起になっていた。

夜中に夫婦のベッドでいびきをかくヴォルフィことヴォルフガング・ヘーゲバウアー、四十四歳、経理係。彼の母親はズデーテンドイツ人で、父親は誰か分からない。ヴォルフィ自身はわたしの母と結婚しても、人としての魅力は増すこともなく、意識が高くなることもなかった。むしろ自意識に目覚めた母にいつも一蹴されていた。四千年の文化を誇るペルシアの女は、第二次世界大戦後の惨めな生活しか知らない非嫡出子とはわけが違う。ヴォルフィは子どものころ、兄といっしょに貨物列車から落ちてくる石炭を拾った。畑で密かにジャガイモを盗んだこともある。はじめてバターを口にしたときは、歯形が残るくらい分厚くパンに塗った。

ヴォルフィはシャワーのあと、わたしの髪を梳いてくれた。それもしっかり時間をかけて。髪が引っ張られて痛かったが、我慢はできた。十二歳の誕生日を迎えたあと、なぜかわたしは髪を梳いてもらうのが嫌になった。ナルムコナンデ（コンディショナー）をたくさんつけて、シャワーを浴び、自分で髪を梳くようにした。ヴォルフィの話にも耳を傾けなくなった。車に乗っているときはヘッドホンをつけて大音量にし、音の壁をつくった。ある夜、ベッドの中で、ヴォルフィと母が口論するのを聞いて思った。わたしがヴォルフィの自尊心を満足させてあげないのがいけなかったのかも、と。ヴォルフィはやがてウィスキーに溺れるようになった。

そんなときに祖母が訪ねてきた。二週間後、祖母は大きくて四角く、持ち手のついた黒いハンドバッグを買った。祖母はそのハンドバッグを持つときは肩にかけ、肘で身体に押しつけるようにした。

わたしはよく覚えている。祖母は用意周到で、まずファスナーを閉めてから、ヴォルフィの耳にそのハンドバッグを叩きつけた。勢いよく左右に二回ずつ。キッチンで仁王立ちになり、円盤投げの選手みたいにハンドバッグを振りまわす祖母の姿がいまでも目に焼きついている。ヴォルフィはその直前、かちかちに乾燥したライ麦パンを捨てたわたしの耳をつかんで、ゴミ箱まで引っ張っていき、それに抗議して拳骨で背中を叩いた母にびんたを食らわせた。

わたしはパジャマ姿のままお隣のハインツェさんのところへ行って、ベルを鳴らした。ハインツェのおばさんがドアを開けた。わたしはなにを言ったか記憶にない。しばらくして祖母と母とわたしの三人はパトカーの後部座席に座った。パトカーが走りだしたとき、わたしは明かりが漏れる窓を見た。ヴォルフィはキッチンテーブルに向かって座っていた。両手で頭を抱え、指にはタバコをはさみ、あたりには紫煙が漂っていた。ヴォルフィの姿を見たのはそれが最後だ。その日から義理の父ではなくなった。わたしたちの関係は、長距離のフライトでたまたま隣り合わせになった乗客みたいにあっさりと終わりを告げた。ヴォルフィが気の毒だった。母と彼の人生は二度と交わることはないだろう。

あるとき、わたしは母に連れられてシェルキャテ・ナフト（石油会社）を訪ねたことがある。ナヒドはもとより誰にも言うなと言われた。もちろん難しいことではなかった。クララたちクラスメイトの女子は男子にしか関心がなかったからだ。

はじめてシェルキャテ・ナフトを訪れたとき、わたしたちは長い廊下に座った。廊下には窓と奥のガラスドアからしか光が射してこなかった。母は一枚のドアをじっと見つめていた。口髭をふさふさに生やした男が中に入ったまま、なかなか出てこなかった。その男のレザージャケットは、足を一歩前に出すたびにキュッキュッと音を立てた。

「わたしたちは寄生虫なの?」わたしは訊ねた。

「そんなことを言ってはだめよ」母はたしなめた。

わたしはしばらく待った。そのうち母がわたしの肩に腕を回した。

わたしは人でいっぱいの廊下を見た。待っている人の多くはプラスチックの椅子に座っていたが、壁際の床にしゃがんでいる人もいっぱいいた。赤ん坊を抱いている人、年老いた夫婦、大声でしゃべる人、黙っている人。でも全員が真っ黒だった。黒い髪、黒い目、黒ずんだ肌。例外は廊下を行ったり来たりしている男だけだった。犬歯が一本欠けていて、タバコの匂いをぷんぷんさせていた。男がそばを通るたびに脚をじろじろ見るので、母はそっぽを向いた。男の金髪はその暗い場所で唯一明るいシミのようなものだった。

ちょうど子どもの誕生日会の写真で唯一黒い点だったわたしと同じだった。クララの結婚披露宴でのことだ。シュテフェンスおばさんがメインディッシュとデザートのあいだにスライドショーをやった。わたしは数週間前にキャンパスで偶然クララに出会い、結婚することで有頂天になって冷静さを欠いていた彼女から披露宴に招かれた。やはり冷静さを欠いていたわたしは、彼女の母親がどういう反応をするか興味があって招待を受けてしまった。

結婚披露宴でシュテフェンスおばさんは招待客をつかまえては、若いふたりは今日から自分の道を踏みだすと言っていた。また、母娘のあいだでは、心を広くし、寛容であることが大事だとも。メインディッシュのあと、シュテフェンスおばさんはマイクを握った。

わたしは会場のずっと後ろの席に座っていたので、スライドがよく見えず、クララの八歳の誕生日会の写真が映されたときに映り込んでいる黒い点がなにか分からず気になった。そのとき、おばさんがスピーチを中断して、その黒い点を指してから、わたしを指差した。

「これが」おばさんはくすくす笑った。「そこにいるモウナー、小さなかわいいイスラーム教徒です！」

数人がわたしのほうに顔を向けた。笑い声を上げていた客たちはあわてて笑いをかみ殺した。

「こっちへいらっしゃい、モウナーちゃん」そう言って、シュテフェンスおばさんはわたしを手招きした。

わたしはかっと熱くなり、すぐに悪寒がした。それでもわたしは操られたように腰を上げ、前に出た。事実、その写真にはテーブルを囲む金髪の子どもたちに交じってわたしも座っていた。茶色の髪だと思っていた女の子たちも、わたしの横では金髪に見えた。自分の髪がどんなに黒く見えるか、それまで一度も意識したことがなかった。写真の中のわたしはテーブルに載っているストロベリーケーキをじっと見ていた。

シュテフェンスおばさんはにこにこしながら、寄りかかるようにしてわたしを抱いた。

「ご覧ください」おばさんはわたしの肩を引いて、人々の前にわたしを立たせた。

「ここにいるこの子は自力で両親の家から出て、家父長制の色濃い伝統から抜けだしたんです。この子はイランで生まれました。イラン、それがなにを意味するか、みなさんならご存じですね。みんな、『マートブ！　自由を求めて』を読んでいると思います」

わたしはクララの家を最後に訪ねたときのことを思い出した。本棚にその本があり、その横には『心の舟』〔フランスのフェミニズム作家ブノワット・グルーの自伝的小説〕が立ててあった。クララの母親はその本を単行本で持っていた。文庫版ではないあの本を目にしたのはあのときだけだ。

シュテフェンスおばさんの口調は突如、高圧的になって、わたしの身体に寄りかかるや、指でわたしの身体を鷲づかみにした。「でもほかの女性は自由を放棄して、気にもしない。情けないったらない……」

わたしは肩を反らして、おばさんの手から離れた。おばさんはバランスを崩して、ノートパソコンが載っているテーブルに手をつき、いまにも挑みかかろうとしている雄牛のように新郎新婦のほうをにらんだ。

「クララ！」おばさんが吠えた。獣のようだった。

クララとその夫はおしゃべりに夢中で聞こえないふりをした。シュテフェンスおばさんの闘志が急に冷めてしまい、うなだれて、すすり泣きを始めた。わたしはすこし力を入れておばさんの肩をつかんだ。肩のふるえを手に感じながら、顔見知りはいないかと、客を見まわした。その日ずっとクララの父親ライナーを探していたが、とうとう見つけられなかった。

　そうこうするうちに、赤色とオレンジ色の縞模様が入ったフェルト帽をかぶった女性が腰を上げた。前のほうのテーブルに着いていた人で、まちがいなく『マートブ！　自由を求めて』を読んだに違いない。その人はシュテフェンスおばさんからマイクを奪って、大きな声を張り上げた。

「さあ、マルギット、写真の続きを見せてちょうだい！」

　シュテフェンスおばさんは手の甲で洟《はな》をぬぐい、背筋を伸ばした。

「そうね、これから面白くなるんだから」おばさんは涙声でそう言うと、パソコンのキーを押した。

　ビキニ姿のクララの写真が映された。満面の笑みを浮かべ、マスカラは濃すぎるくらいで、目を大きく見開いて、中身が空のシャンパングラスを高く掲げている。ボブカットの前髪に大量のスプレーをかけて、ボリュームを作っていたが、すでに流行りのヘアスタイルではなかった。そして、ようやくふくらみ始めた胸に銀色の飾り帯がかけてあり、そこには「ミス・シティセンター・ヴァイデン〔ヴァイデン市にあるショッピングモール〕というロゴが入っていた。クララの背後にはほかの参加者たちのむきだしの腕や脚も映っているが、ストロボはそこまで届いていなかった。

　わたしは席に戻ってほっとした。小さいころから傍観する立場には慣れていた。意に反して脚光を浴びてしまったときでも。そして今回、その目論見はものの見事に失敗した。
ウェイターたちがウェディングケーキを切り分け始めた。ウェイターのひとりがわたしにぶつかり、下卑た笑みを浮かべて謝罪した。それからわたしのところにも、ストロベリーケーキが配られた。わたしは同席した人たちにも配られるのを待った。フォークを持ってふと顔を上げると、カメラマンがシャッターを切った。わたしは耐えられなくなって、フォークをテーブルに置くなり立ち去った。

携帯電話で時間を確認すると、午前零時三十分すぎだった。母は寝ている。わたしはゆっくり身体を起こす。ラーミーンは今回もテラスの扉を施錠していなかった。ラーミーンはTシャツを着て、うつぶせになってベッドに斜めに横たわっていた。口を軽く開けている。わたしは床に膝をついて、彼を見つめた。まつ毛がとても長いことにいままで一度も気づかなかった。アオサギの羽くらい長い。わたしはラーミーンがアメリカで暮らすところを想像した。左右の手にそれぞれ三つの紙袋を持って巨大なショッピングモールの中を歩くところ。サングラスをかけて白いSUVのハンドルを握るところ。フェンスで囲まれたプールに野球帽をかぶって入っているところ。そのそばではピンクのビキニを着た娘が背もたれと日除けのついた浮き輪で遊んでいる。医者やIT技術者のイラン人たちを招いてバーベキューパーティもするだろう。食べるのは脂身の少ないケバブと脂肪分ゼロのヨーグルト。そのヨーグルトは奥さんのホワイトニングしたばかりの歯のように真っ白に違いない。奥さんは笑いながら金色に染めた髪を後ろに払い、それを見て、ラーミーンは奥さんに惚れなおす。そしてアメリカ人とイラン人が兄弟の契りを交わすとき、わたしたちの関係にはピリオドが打たれる。ぱっくり開いたクレバスを飛び越えるのはもはや不可能。どちらの側からも。

わたしは彼の髪を撫でて立ち去った。わたしの部屋の格子戸を閉めたとき、ガチャっと音がして、母が驚いて目を覚ました。

「どこに行ってたの?」母は身体を起こして訊いた。まだ寝ぼけて、朦朧としている。

「外よ。わたしはクリスマスプレゼントを運んでくる役だから」

そう聞くと、母はまたベッドに沈んで、眠り続けた。

11 バーバー・アーブ・ダード ——父さんが水をくれた——

「結婚? 冗談じゃないです。きのう、うちの長女目当てで、ハーステガール（求婚者）が両親ともどもうちに来たんですよ。わたしはあやうく吐きそうになりました。わたしはすぐに追い払いました。誰かがうちのラーダーンに目をつけたかと思うと……」

タクシー運転手は後部座席にいる母とわたしのほうを振り返り、右手を振りまわした。ラーミーンは助手席に座り、心配そうに何度もハンドルに手を伸ばした。わたしはほんのすこし命の危険を感じたが、恐れを抱くのは贅沢だとも言える。だから黙って息をのんでいた。運転手がまた前を向いてくれたので、ほっと息を吐いた。

「……胃がでんぐり返ります。おまえはまだ十八歳で、学校に通っている。まず大学で学び、仕事を見つけて、自立しろと娘に言ってやりました。娘は大きな目をしてじっと聞いていたので、分かってくれたと思ったんですよ。ところが、そのあと静かな声でこう言ったんです。『そんなの無理よ、父《バーバー》さん。分かっているくせに』」運転手は人差し指を立てて、客がちゃんと聞いているかルームミラーで確かめると、また言った。「『そんなの無理よ、父さん。分かっているくせに』ってね」

ラーミーンは左の上腕を揉んだ。

「大学に行ってもしょうがないってところがある」

「でも、たくさんの女性が大学に進んでいると思ってたわ」わたしは言った。

「そこが問題なんだ。多すぎるんだ」

「だけど、どうしろって言うんです？　ほかに選択肢がないからって、薬物依存症の男に娘をやるわけにいかないでしょう！」運転手はしばらく黙った。それから声の調子を変えて、地の底から声を絞りだすように言った。「あいつら俺の娘の首を絞めるに決まってる。モルデシュー（納棺師）に連れていかれちまえ。宗教がらみのことはなにもかも」

数分後、運転手はベージュのテントがいくつも張ってあるところで車を止め、わたしたちを降ろした。ラーミーンは一時間後に迎えに来るように運転手に言った。

ラーミーンがインタビューする約束をしていた三人のフランス人技師が微笑みながらやってきて、わたしが差し出した手をためらいがちに握った。三人は紅茶をすすめて、砂糖を切らしていることを詫び、ラーミーンと折りたたみ式のテーブルを囲み、母とわたしは板張りのベッドに腰かけた。
わたしは、ラーミーンがフランス語を話すのをはじめて聞いた。半分も分からない。母はもちろんちんぷんかんぷんだったが、ずっとラーミーンの唇を見ていた
わたしはあたりを見まわした。手前のテントはリビングキッチンのようだ。赤いチェストの上にキャンピング用コンロがふたつ載っていて、その横に青いプラスチックの盥《たらい》と、間に合わせに固定したホースがあった。流し台の代わりだろう。ビニールサンダルを履いたイラン人の若者がテントに入ってきて、ティーグラスを集めると、その盥に入れた。若者はいったん外に出た。すると、ホースからチョロチョロ水が流れ出た。若者はまたテントに入ってきて、食器用洗剤を盥に入れると、使い捨て手袋をはめた。食器用洗剤を入れすぎて、泡が塔のように盛り上がったが、若者はかまわずカチャカチャ音を立てながら、グラスをすすいだ。

「やっときれいになった。ドイツ人ならシャワーを浴びて、シャワージェルに包まれて夢心地のうちにきれいになったと思うところね」祖母はシャワーから出るたびそう言っていた。ドイツ人がどういうふうにシャワーを浴びるか、その知識をテレビのCMで仕入れていた。
数日ぶりにわたしは、モルデシュー（納棺師）がスポンジで祖母の腕や足を拭いたところを思い出した。素っ気なくていいかげん。祖母の好みではない。「モルデシューに連れていかれちまえ！」と祖母は母の二度目の夫のヴォルフィをののしったが、まさか自分が死んでモルデ

シューに洗われることまでは頭になかっただろう。あのときは、その言葉をドイツ語に訳せと言われたが、祖母がどういう意味で口にしたのか、わたしにはさっぱり分からず、中身のないただの悪口としか思えなかった。はじめてその意味を理解したのは、父が亡くなったときだ。

父は最後の力を振り絞ってテヘランへ行った。知り合いの医師に手術をしてもらうためだった。転移した癌の摘出手術。だが父は骨と皮だけになっていて、飛行機の車輪がエマーム・ホメイニー国際空港の滑走路に触れたとき、きっと最後に残っていた祖国への憧れも消えてしまったことだろう。父は手術で命を落とした。ドイツで父といっしょに暮らしていたスヴァンチェがわたしに電話をかけてきた。買い物袋を提げて、階段を上っていたときだ。「わたしはそっちへ行かない。葬儀のときの騒ぎには耐えられない」と彼女は言った。

ケルン・ボン空港のカウンターで、わたしは重さ二十五キロのスーツケースと急いで見つけだした黒い服を入れた小さな旅行鞄を年配の女性スタッフに預けた。

父と同じでイラン人にしては背が高いおじは、空港のゲートで群衆から頭ひとつ抜きんでていたのですぐに見つけられた。ペルシアの新年を迎えようとする三月半ばだった。国中で人が移動していた。おじはわたしたちと父の亡骸を飛行機で父の故郷の南へ輸送しようとしたが、うまくいかず、冷蔵車しか手配できなかった。

若い運転手は病院で父の棺を積んでから、午後十時ごろ、わたしたちのホテルに来た。運転手は運転席のすぐ横に座ったおじにしか挨拶しなかった。わたしは窓際に座り、サンドイッチと塩味のヨーグルトドリンクを入れた袋を膝にのせた。走りだすと、ルームミラーに吊された、頭がリンゴ大の人形がゆらゆら揺れた。

運転手は黙って百万都市の喧騒をあとにした。はじめのうちこそ、わたしたちはその喧騒から抜け出ることができなかったが、あるとき唐突に放りだされた。闇に目が慣れると、風景の輪郭が視認できるようになった。岩だらけの丘、月明かりに照らされ、影を落とす山塊。空に瞬く星はブドウの房のようだ。闇はただ暗いだけではなく、灰色と青色の色調に彩られていた。わたしたちは山を越え、谷を下った。峠に着くと、どこまで続くか分からない広大な景色が広がっていた。こういう風景を目の前にするたび、わたしは遠く彼方まで感じ取れるような人間になりたいと思う。自分の中にこの広い世界を取り込みたい、と。だがそう願うたびに、世界は逆に狭くなる。

運転手は荷物から早く解放されたいとでもいうように車を走らせた。上半身を前かがみにし、顎を前に突きだして。

わたしたちには父の死を受け入れる時間があった。死は徐々に迫ってきた。癌と診断された三年前、父はすでに死を受け入れて、あっさり癌に屈する覚悟を固めた。だが本当を言うと、診断を受ける前からある意味ですでに死にかけていたのだ。店を手放し、スヴァンチェが帰宅するまで毎日ＢＢＣ放送ばかり見るようになったとき、父の一部は死んでしまっていた。その後の父は、鉢植えに水をやるときしか椅子から立たなかった。わずかな土と水とＢＢＣ放送の番組の画面から放たれる明滅する光さえあれば、生きるのに充分だとうそぶいて、自分を植物に喩えた。わたしがテレビばかり見ているのはよくないと忠告すると、放送はイギリスのプロパガンダに近いものがあるが、気にならないと言った。むしろニュースを見ていると、イギリス人がなにを企んでいるか見えてくるからいいと言う。わたしは父をテレビから引き離して、散歩させたいと思っていただけなのだけど。

「あの人は、番組が中断して、イラン国民が律法学者を国外追放して、あすにも普通選挙が実施されるという緊急ニュースが流れるのを待っているのよ」父より十五歳若く、過酷な仕事を終えて帰宅したあとは、政治的にはほとんど意味のない読書に幸せを求めるスヴァンチェが言った。

医者から胃癌だと宣告されると、父はなんでも言われる通りにした。薬をのみ、注射を受け、どんな病室に入れられても文句ひとつ言わなかった。そして自分が医学を専攻し、医者と言ってもいい存在であることを主治医には決して明かさなかった。

実際に診療に当たることはなかったが、投薬がなんのためで、セラピーがなにを目的にしているか、ちゃんと分かっていたはずだ。だが治療の最終目標である生命の維持については、うまくいくと思っていなかったようだ。

わたしには父を元気づけることができなかった。「わたしにはまだあなたが必要なの」と言うのはたやすい。ある映画に、大の大人が涙にむせびながらそういうセリフを吐いて、両親に向かってけなげに微笑むシーンがあった。でも、わたしはそんなことをしようとは夢にも思わない。だから言えるわけがなかった。わたしは小さいころから自分のことは自分で決め、不安を覚えても、父に悟られまいとしてきた。わたしはすべてうまくやれていると思わせようとした。そして、どんなときでも見事に適応する移民の娘を演じるべく力を振り絞り、大学で学んで、確たる自分の道を進んだ。周囲にいた不満たらたらの法律家の娘や身を持ち崩した医者の息子になど目もくれず。あいつらはいい。緑地帯〔ケルンの市壁跡地を改造した半円状の緑地のこと〕沿いの一戸建てで、なに不自由なく育ち、自分たちの人生に不満を漏らすが、堕落する理由などそもそもないのだから。それもこれも、あいつらの親が、そのまた親がナチだったことを早々になかったことにしたおかげだ。

父の店を午後に訪ねることも、カーテンの奥で折りたたみ椅子に座っていっしょに紅茶を飲むのも、人が寄りつかなくなって金まわりが悪くなり、父の自意識が傷つけられてからは、さらなる負担でしかなかった。わたしは店を避け、何週間も連絡を取らなくなった。そして父から電話がかかってくると、大学や職場でのストレスを言い訳にした。

もはや父を必要としないと思っていたが、わたしの中にまだわずかに残っていた人生の物語を父と共に失った。だがそのことが分かったのは、父が死んだあとだ。ほかの人なら、新しく人生を始めるために子どもでもこしらえるところだろう。たしかにデッドエンドよりはましだ。

車の中でちょうど眠れそうな体勢を確保したとき、おじが話を始めた。前方にある光を反射する路上の標示を見ながら淡々と。

「革命のあと、皇帝《シャー》は亡命先で受けたインタビューで言っていた。イラン現代史における大きな過ちはふたつあったそうだ。ひとつ目は皇帝がモサッデク〔イラン帝国時代からの政治家、民族主義者。一九五三年、国王派のクーデターで失脚〕を殺さなかったこと。ふたつ目はモサッデクが皇帝を殺さなかったことだとさ」

なにを言いたいんだろうと思いながら、わたしはおじを見た。

「最初の過ちは、おまえのおやじさんがおふくろさんと結婚したことだ。次の過ちは、おまえのおふくろさんがおやじさんと離婚したことだ。おやじさんはいい父親になれたはずだ」

いい父親になれたはず。けれどもいまは、荷台に横たわって、腐敗し始めている。わたしは泣きだした。

「おまえの父さん《バーバー》が母さん《マーマーン》を十七歳だと思っていたことは知っているよな？」しばらくしてからおじが言った。

わたしは首を横に振った。

「おまえのおばあちゃん《マーマーン・ボゾルグ》がおやじさんにそう言ったんだ。結婚した直後、十三歳だと知らされた。俺たちは、結婚を無効にしろとおやじさんを説得したんだ。十三歳の娘！　だが、おやじさんは繰り返し言った。結婚を承諾した。いまさら娘とその家族を捨てるわけにいかないとな。おやじさんはそのとき、ある特別許可証を見せてくれた。おまえの母さんが身体的に結婚可能だという医者の診断書さ。その日を境に、俺にはおやじさんがちょっと分からなくなった」

　わたしはさめざめと泣いた。おじは話し続けた。

「おやじさんが昔の自分を見せたのは、五、六年前、ドイツに訪ねたときだ。俺たちは居間でバックギャモンをして遊んだ。だが気分が乗らなかった。だから、子どもっぽく振る舞うことにしたんだ。小さいころに頭を丸刈りにして、膝を泥だらけにし、いびきをかいていたおやじのそばでサイコロを投げていたときのようにな。俺はガッツポーズをしてみせた。俺たちは笑ったよ。人生はこれからだと思っていたころのようにな。

　だが遊びを続けようとしたとき、おやじさんの顔にまた影が差した。俺は言った。

『レザー、おまえには気立てのいい伴侶がいる。娘は大学に進学して、自分の道を切り開いている。こっちで新しいことを始めた。誇りにしていい』

　おやじさんは目をそむけて、大きな窓から庭を見た。スプリンクラーがくるくる水を飛ばしていた。

『まあな』おやじさんは言った。すこししてから、さらにこう続けた。『じつはこのごろ刑務所に入れられていたときのことを思い出すんだ。俺たちは全員、無期懲役を言い渡されたが、誰ひとり、実感がなかった。俺たちは、収監されているのは新しいなにかの始まりだと本能的に知っていた。毎日新しい囚人が加わるたび、その確信は強くなっていった。俺たちは何時間も何日間も、あるべきイランについて議論した』

おやじさんはスプリンクラーを見つめた。

『現状に満足すべきだっていうのは分かる。だけど、ここドイツでは無期懲役になってる気がするんだ』

永遠とも思える長い時間、おやじさんは俺の顔を見て、ふっと笑みをこぼすと、孔子を引用した。ほら、感情が高まると、いつもそうしたよな。

『子曰く、幼《よう》にして孫弟《そんてい》ならず、長じて述ぶること無く、老いて死せず。是を賊と為す』

おやじさんは揉み手をして立ち上がると、テラスのドアから裏手に出ていった。すこしして
スプリンクラーが止まった」

スプリンクラーはわたしの脳裏で回り続けた。寝入ってしまうまで。


目を覚ますと、太陽がかなり高く昇っていた。窓からアナール（ザクロ）の果樹園が見えた。わたしは二度、父の生まれた村を訪ねたことがあった。父はいっしょではなかった。父がかつて知った土地を歩き、路上で知り合いに挨拶すると、木からアナールをもいでくれる。わたしはついにそういう体験をせずに終わった。わたしが知る父は異邦人だった。この世に居場所を見いだすことのできない存在。どんなときでも居場所を探しているようには見えなかった。誇りが許さなかったのだろう、たぶん。わたしの前では独立独歩のイメージにこだわっていた。どこかに定着し、なんらかの国に属することは低次元の人間の欲求であり、幻想だとでもいう

ように。それは父の政治信条にもうまく合致していた。だが、この世のどんなイデオロギーをもってしても、親しみを覚えるものへ焦がれる想いを妨げることはできなかった。キッチンで調理する料理の匂い、赤ん坊を寝かしつけるときに口ずさむメロディ、夜明けと共に響いてくる音、人々が互いを尊重しているときの言葉や振る舞い。イランから友人や親戚が訪れるたび、そういうものにどれほど焦がれているかが父の言葉や振る舞いから分かった。父は笑った。いつも以上にたくさん笑った。押し殺したような笑い声を聞くたび、わたしはイランに焦がれていることを悟った。父はいろいろなことにやさしくなる。声、表情、部屋の中を歩く姿。

うまく暮らしているように見えても、父は毎日、ものすごいエネルギーを使っていた。弱みを見せまいと努力しているのがよく分かった。けれども、わたしはそこに踏み込むことはしなかった。自分の役割を演じることで精一杯だったからだ。それに、父のイメージはことあるごとに現れた。父のことを思うたびに脳裏に浮かぶエンドロールのようなものだった。背中が毛むくじゃらの男のイメージ。

冷蔵車に乗って、亡骸を墓地へと運んでいたときもそうだった。

信心の欠片《かけら》もなかった。信心はそのときのわたしの価値観に合わなかった。わたしの価値の体系は穴だらけだったのだから無理もない。孔子の言葉が脳裏に蘇った。

「それ孝は徳の本《もと》なり。教えの由《よ》って生ずる所なり」

父が病気になったとき、わたしは孔子の名言集を紐解き始めた。毛沢東主義者の父とわたしが、古代中国の思想家を通して気持ちが通じ合えると期待したからだ。しかし、この名言を父がわたしの前で口にすることはなかった。おそらく、分かるセンスがわたしにはないと気づいていたからだろう。わたしが持っているものといえばCDばかりで、お金を払うのは展覧会や映画館のチケットばかりだった。わたしの内面が受け入れていたものは、この世界では拠り所とする基盤を持たず、ふわふわ浮遊してばかりいるものだったのだ。もしもどこかにつながることができたら、わたしだってしばらくは、この宇宙の端くれだという幸せに浸れたものを。

村に入ると、わたしたちはすぐに左折した。その先に墓地があって、黒装束の女性たちが集まっていた。運転手はギヤをニュートラルにして、車を惰性で走らせた。女性たちは羽虫のように群がってきた。

わたしはおじを見た。

おじは目を閉じて、囁いた。

「おやじさんは故郷の土を踏んだが、そのときはもう最後の力まで使い果たしていた。おやじさんの魂には羽が生えていた」

おじは目を見開いて、わたしにうなずき、車のドアを開けた。おばの両手がこちらに伸びた。わたしは車から降りた。膝にのせていたサンドイッチが地面に落ちたのを踏んづけてしまった。男たちが荷台を開けて棺を引っ張りだし、白い箱形の建物に運んだ。わたしはそこではじめてモルデシュー（納棺師）の姿を見た。その人はすでに入口で待っていた。

三人のフランス人とラーミーンは立ち上がって別れの握手をした。ラーミーンがこっちに来て、待たせてすまなかったと詫びた。ラーミーンは母に期待に満ちた眼差しを向けたが、母はなにも言わなかった。

「なんでもないわ」わたしは母の代わりに言った。

わたしたちが母を見ていると、母は心ここにあらずという様子でつぶやいた。

「昔、わたしたちもああいうテントで暮らしたわ」

「わたしは、ああいうテントで生まれたってこと？」わたしは訊ねた。

「そうよ」

わたしはもう一度振り返った。自分の足跡、自分を知る大事な手がかりを見つけた気がした。だが、なにひとつ先ほどと変わらない。テーブルが一台、椅子が四脚、赤いチェスト、キャンプ用コンロ二台、青いプラスチックの盥《たらい》。

ラーミーンはわたしの母を見つめた。

「六月のバムでああいうテントで出産したとは、恐れ入った。その後、赤ん坊の世話をするのは楽じゃなかったはずだ」

ラーミーンはわたしの誕生日を知っている。わたしは彼の誕生日を知らない。ラーミーンはわたしのほうを向いた。

「夏にああいうテントの中がどのくらい暑くなるか知ってるか？　あのフランス人たちは五月には帰国して、九月に戻るそうだ。さっき言っていた」

母は虚ろな目でわたしを見た。すこし離れたところでロバが鳴いた。

「ええ、たしかに暑かった。わたしは小瓶に入れた紅茶をあなたにひっきりなしに飲ませた。お乳をなかなか飲みたがらず、痩せ細っていたし。母さん《マーマーン》が一時間ごとにあなたの体重を測った。その体重計をわざわざ手に入れてきたのはあなたの父さん《バーバー》で、毎回あなたの体重を表に書き入れて、毎回罵声を浴びせた。『モルデシュー（納棺師）よ、俺を連れていけ』ってね。毎回よ」

「おばあちゃん《マーマーン・ボゾルグ》もいっしょだったの？」

「そうよ。でもわたしたちは、そんなに長くはいなかった。あなたが生まれたあとすぐにマシュハドに戻った。おばあちゃんとわたしはね」

「父さんはいっしょじゃなかったの？」

「ええ、いっしょじゃなかった」

「ここに残ったの？」

母ははじめ黙っていたが、それから言った。

「さあ、どうかしら」

タクシー運転手がクラクションを鳴らした。

「町一番のケバブ屋に案内しますよ。ホテルからそう遠くありません」

わたしたちが小さなケバブ店に入ると、給仕がいそいそとやってきた。蛍光灯の光が淡く反射する白いタイルが敷かれた床を歩いて、わたしたちは店の奥の四角いテーブルに着いた。

給仕はてきぱき動き、子羊の串焼きとグリルしたトマトのプレート、ライスを盛った皿、ヨーグルトや香辛料やタマネギをのせた小皿を運んできた。空色の蠟引きされたテーブルクロスには一定の間隔で「See You!（またね）」とプリントされていた。

串焼きはたしかにおいしかったが、母は二口食べただけで満足し、トイレに立った。

ラーミーンはナイフとフォークを置いて、わたしと目を合わせようとした。

「昨夜はなんで起こしてくれなかったんだ？」と小声で訊いた。

給仕はカウンターでなにか作業をしていた。

「満足そうだったから」

「なんだそれ？　俺は不満だからきみと寝るわけじゃないぞ」

「でも起こすのは野暮だと思ったのよ」わたしもナイフとフォークを置いた。「なにもかも滑稽だわ」

「そうだな。それでも今夜は来てくれるよな？」ラーミーンは身体を寄せて囁いた。「きみが来るまで、マッチ棒でまぶたが落ちないようにしておく」

母はトイレから戻ってきた。顔が青い。

「ちょっと気分が悪いわ。タクシーでホテルに帰る」

わたしも立ったが、母は押しとどめた。

「いいのよ。ゆっくり食べて。お願い」

わたしはまた腰を下ろした。

母はハンドバッグを持つと、振り返ることなく店を出た。

ラーミーンは母を見た。

「おふくろさん、つらそうだな」

「ええ」

「だけど、おばあさんは当時、なにを考えていたのかな？」

「とくになにも考えていなかったと思うけど。おばあちゃん《マーマーン・ボゾルグ》は考えるのが苦手だったから。気になるのはむしろ、父さん《バーバー》がなにを考えていたかね」

ラーミーンは給仕がテーブルに置いた注文表を見た。

「ちょっと違わないか」と給仕に言った。

突然、幻覚が現れた。たぶん疲れていて、満腹になったせいだ。背中を向けた裸の男。背が高く、肩幅がある。わたしは男の背中にかかる髪の毛を見る。男は少女に挑みかかる。同じく背中を向けているのに、少女の胸が見える。オレンジのように空に向かって突き立っている。

少女は肘をついて上体を起こそうとする。両足は必要以上に開こうとしない。まるで見えないゴム輪が膝を閉じさせようとしているかのように。わたしの身体中に警報が鳴り響いている。どんな破局が待ち受けているか分からない。少女の顔は霞んでいて、はっきりしない。気を取り直すと、わたしはその光景を急いで頭の中からかき消した。まるで黒板に書かれた間違った数式を消す数学の教師みたいに。

「まあ、いい。ごちそうさま」ラーミーンは言った。

給仕は、申し訳ないとつぶやきながら厨房に消えた。

ラーミーンは給仕の背中を見ながら首を横に振った。

「ケバブを一人前多く計算していた」

「特別な注文をしたから勘違いしたんでしょ」わたしは給仕の肩を持った。

「そんなの言い訳にならない。それより、おふくろさんは、自分を妻にしたことでおやじさんを非難している。だけどそれ以上なにが悪いって言うんだ？ そのせいで、おやじさんはおふくろさんの人生から消されたみたいじゃないか」ラーミーンは時計を見た。「まずい。ホテルに戻らないと。四時半だ。ヨーロッパ時間では午後七時。記事を送らないと。あしたが地震の記念日だ」それからやさしい口調になった。「せっかくふたりだけになって『解放』されたっていうのに残念だ」

ラーミーンはテーブルの下でわたしの膝に手を伸ばして、股のほうへ滑らせた。彼の手が股間に伸びると、わたしはその手をつかんでそっと元に戻した。給仕はカウンターでグラスをいじっていた。

店を出ると、街灯がともっていた。太陽がちょうど沈んで、空はウルトラマリンブルーに輝いていた。通りでは車がのろのろと進み、女性たちが果物や野菜を入れた袋を提げて真っ直ぐ前を見つめて歩き、男性たちはパン屋の前で行列をつくって、注文をしている。みんな、さっさと用事を片付け、誰かを迎えに行ったり、腹を空かせた子どもが待つ家に帰りたいのだ。子どもたちはきっと大きな目をして、ペルシア絨毯に蠟引きの布を広げて座り、サモワールの中の紅茶は琥珀色になっていることだろう。

わたしはラーミーンと並んで歩いた。タクシーに乗らず、はじめてふたりでそぞろ歩きした。わたしは一瞬、自分たちもこの街の一部で、この土地特有の時間との競争に加わっているような気がした。ラーミーンは横からわたしを見た。わたしは見なかった。ラーミーンは路上の花売りのところで立ち止まり、月下香《げっかこう》の花束を買った。花束を手にする前から、かぐわしい香りがわたしの鼻をくすぐった。

「わたしを酔わせるつもり?」

「これがはじめてじゃないさ」

ちょうどすれ違った女性の紙袋が破け、アナール（ザクロ）とオレンジが歩道に落ちて、車道に転がり出た。車が一台、ゆっくりとした速度でアナールをひく。果汁が四方に飛び散った。

わたしたちはかがんで、たくさんの果物を拾った。女性はわたしたちの顔を見ることなく何度も礼を言って、足早に立ち去った。

こんな時間帯でなかったら、人々に囲まれながらこれほどの孤独を感じたりしなかっただろう。

ホテルに着くと、そのままラーミーンの部屋に直行した。彼はシャツを脱ぐと、手帳を出して、下着姿のままテーブルに着いた。わたしは月下香をグラスに活けてからベッドに横たわった。ラーミーンはノートパソコンを開いて、キーボードを打ち始めた。

カタカタとキーを打つ音を聞きながら、わたしは眠りに落ちた。

わたしは宮殿の広間を歩く。木漏れ日が大理石の床に射し込んでいる。テラスに出ると、目の前の草地で、ふたりの子どもがフリスビーで遊んでいる。男の子と女の子だ。男の子はきっちり折り目のついた空色の半ズボンを穿き、女の子は髪をピンクのリボンで結んでいる。遠くでは羊の群れが草を食んでいる。わたしは子どもたちを呼び、宿題をしないとだめでしょうと言う。女の子の宿題は作文で、書きだすなり、怪訝な顔をしてわたしを見る。わたしはそれを読むことができず、ペルシア語で書ける唯一の文章を書き添える。『バーバー・アーブ・ダード（父さんが水をくれた）』

問題は父さんが誰に水をくれたかだ。わたしは知らない。ネオプレーン地のスーツを着た皇帝《シャー》がテラスに立つ。わたしは汗が吹きだすのを感じた。皇帝に口づけされて、鳥肌が立ったが、抗いはしなかった。しがないベビーシッターにすぎないから。

わたしは身体を起こして、口元に手をやった。皇帝の唇は消えていたが、いやな感覚は残っていた。悪夢はいいことが起きる知らせだ、と祖母は言っていた。夢に水が出てこなければそれでいい。それとも水は出てきただろうか。バーバー・アーブ・ダード。イランの小学校一年生がペルシア語の授業で学ぶ一文だ。しばらく前にペルシア文字をマスターしようとして、一年生の教科書を取り寄せたことがある。バーバー・アーブ・ダードが書けるようになる前に、わたしのやる気は失せた。だが、あれからずっと気になっている。父さんはいったい誰に水をくれたのだろう。

やはり夢に水は出てこなかった、とわたしは判断した。

ラーミーンはまだキーを叩いている。

「まだ終わらないの?」

「ああ、だけどもうちょっとだ」ラーミーンは関節を曲げて指を鳴らした。「締め切りまでまだ十五分ある」

わたしはコートのポケットから携帯電話を出して、もう一度ベッドに寝転がった。十八時四十五分、ヤンからショートメールがあった。

大晦日には戻るかい？　アニカとマヌエルが、チーズフォンデュに招待してくれている。きみがいなくては、食べきれない！

わたしは携帯電話を切って、反対側に寝返りを打った。

ラーミーンはノートパソコンを閉じて、伸びをした。見ていると、立ち上がって、テラスのドアを開けた。冷気が室内に流れ込んだ。彼はドアの枠のところで外を見ている。外は夜、真っ暗闇だというのに。わたしは彼の肩を見つめた。まっすぐ線を引いたみたいな肩。なにをいくらのせても、落としたりしないだろう。わたしは彼の肩甲骨にかかっている髪の毛を見た。何本か白髪が交じっている。このあいだ会ったときは、白髪染めワックスを使っていたのに。

わたしは頬杖をついた。

「いつまでそこに立っているつもり？」

「寒いかい？」ラーミーンは振り返ることなく訊いてきた。

「ええ」

「じゃあ、毛布をかけたらいい」

「でも服を着たまま毛布をかけるのは好きじゃないの」

「じゃあ、服を脱いだらいい」

わたしはそのまま寝そべっていた。

ラーミーンは格子戸とドアをいっしょに閉めると、ベッドに横たわり、わたしを背後から抱きしめて、耳に舌を入れた。

その日最後の祈りを呼びかけるムアッジンの声が聞こえた。


「大晦日には帰るわ」三十分後、ヤンにそう返信して、わたしたちの部屋のドアを開けた。母はベッドの中で組んだ腕に頭をのせて、天井を見ていた。

わたしは浴室のドアの前で立ち止まった。

「具合はよくなった？」

「おまえは愛されていると感じる？」母は質問で返してきた。

「ええ、まあ」

「誰に愛されていると感じてる？」

「母さん《マーマーン》から？　おばあちゃん《マーマーン・ボゾルグ》？　父さん《バーバー》？」

「おまえはいつもわたしたちに愛されてるって感じていた？」

「そう感じるのは当然だと思ってた」

母はまだ望んだ答えを得られていなかった。けれども、わたしはシャワーを浴びたかった。浴室のドアノブに手をかけ、そこでもう一度動きを止めた。

「ねえ、バーバー・アーブ・ダード（父さんが水をくれた）って、本当はなにを意味しているのかしら？」

　母は考えた。

「分からないわ」

「イランの子どもはなんでこの言葉をペルシア語の授業で習うのかしら？『父さんが水をくれた』だけど、誰にくれるの？　わたしにはこの文章が理解できない」

「わたしにもさっぱり分からない」

「でも母さんは一年生のとき、何千回も書いたはずでしょう。なぜくれるんだろう、どういう意味があるんだろうって一度も疑問に思わなかったの？」

「そうね」母は虚空を見つめた。

　わたしは怒りを覚えた。

「母さんはそもそも疑問を覚えたことがないわけ？」わたしは勢いよくドアハンドルを押し下げて、浴室に入り、服を脱いで、隅に置いてあったスツールに投げた。

　しばらく熱いシャワーを浴びて、気持ちを鎮めた。母はいつもそうだった。わたしはいつも母を大切にしなくてはと思っていた。いままではそれでよかった。でも、祖母がいなくなり、母とふたりだけになったいま、わたしは不安を覚えている。物思いに耽りながら、髪にシャンプーをつけ、洗い流す。ナルムコナンデ（コンディショナー）のボトルをつかんだとき、なくなりかけていることに気づいた。いったんシャワー室から出て、化粧ポーチから新しいボトルを出す。最後のひとつだ。わたしは一週間分しか持ってきていなかった。

12 ナルムコナンデ ――コンディショナー――

「あの人はおまえの髪を梳《す》くことすらしなかったのね」

母は走り去る父の緑色の小型車を見送りながら言った。父は、母が玄関のドアを開けるのを見るなり車を発進させた。

「ナルムコナンデ（コンディショナー）がなかったの」

「おまえの父親の女は、そういうものすら持っていないの？」

「そうよ。あの人は同志だもの」わたしはうつむいて言った。

母は足の指のあいだに脱脂綿をはさんでいて、爪が赤く輝いていた。

「ふん、それは最低ね」

母は腰をかがめて、わたしを抱き上げた。そして腰を上げるときに、わたしのバッグをつかんだ。

わたしは本当のことを言わなかった。スヴァンチェだってナルムコナンデは持っていた。ただし繊細でしっとりした髪用のナルムコナンデ。スヴァンチェのなめらかな小麦色の髪は肩までかかっていたが、薄かったので耳が透けて見えた。朝起きたときの、スヴァンチェの髪はさらさらと流れ落ちるようだ。一方、朝起きるとすぐ浴室に入り、午前中はタオルを頭に巻いて過ごすわたしの場合、耳が透けて見えることはないし、髪を一週間洗わなくても、誰も気づかない。

そう、一週間は髪を洗わない。とくに夏休みに父とスヴァンチェのところで暮らすときは。バスタブの縁にはいつも二本のボトルが並んでいる。シャンプーとナルムコナンデ。ナルムコナンデはわたしが知っているものとは違っていた。髪を洗っても、そのナルムコナンデを使っても髪はしなやかにならず、無理に髪を梳くと、強情なロバがヒーホーと鳴くみたいな音が出る。

わたしはバスタブに座って、片手にシャワーヘッドを持ち、もつれた髪をほどこうとする。そのうちに腕が重くなって、シャワーヘッドを置いて、蛇口を閉める。髪を梳くのは両手でやるほうが簡単だ。でも凍えてしまう。古い建物で、すきま風がひどいからだ。わたしはまた蛇口を開けて、体が温まるまでシャワーを浴びる。また、腕が重くなる。

父はドアをノックした、毎度のことか、このときだけだったかは、よく覚えていない。

「どうかしたか?」父が訊ねた。

スヴァンチェがなにか言うのが聞こえた。

「なんでもない。すぐに出るわ!」わたしは叫んだ。

わたしは櫛を手に取って、髪をひと握り手につかんだ。涙が出た。髪が抜けたらいいのに。なくなったほうがまし。

数分後、父がまたドアのところに立った。

「手伝いがいるなら……」

スヴァンチェの声が近づいてきた。

「なんでこんなに長くかかっているの、あなた?」

「なんでこんなに長くかかっているんだ、モウナー?」

父がドアノブに手をかける。

「もうすぐ終わるわ。本当よ!」

なんとしても父を浴室に入れるわけにいかない。

前の年の夏休み、父はわたしの足指の爪を切ってくれた。爪はすこし伸びていた。父はわたしの前でスツールに座り、半ば背を向けるようにしてわたしの足に身をかがめ、爪に爪切りを当てた。父は爪切りに神経を集中させていた。なにをするときでも、父はいつも神経を集中させた。わたしは、動くと籐の椅子がきしむので、じっとしていた。そのとき、夏休み前の宗教の授業で聞いた聖書のあるエピソードが頭に浮かんだ。イエスが弟子の足を洗ったエピソードだ。ペテロは断ったが、宗教の先生は、イエスに足を洗ってもらうのはいいことだと説明した。わたしはその理由を忘れてしまったか、理解できなかったのだと思う。父はイエスではないが、多くの人がイエスに似ていると言っていた。祖母と母を除いて。

「モウナー、入るぞ」

「それとも、わたしのほうがいい？」スヴァンチェが訊ねた。父の横に立っているようだった。

「もう終わるってば！」

あわてて立ったので、滑りそうになった。バスタブから出ると、髪にだけシャワーをかけ、排水口のゴミ受けにたまった髪の毛を取って、ゴミ箱に捨てた。わたしは濡れた髪を絞ってから、パジャマを着た。わたしが浴室のドアを開けると、スヴァンチェがキッチンから出てきて、入れ代わりに浴室に入った。

髪を乾かさず、わたしはキッチンで席に着いた。チーズのオープンサンドとキュウリが並んでいたが、食欲がなかった。父はわたしに背を向けて、食器を洗っていた。

スヴァンチェは浴室から戻ると、自分の席に着いた。

「やっと食べられるな。きみの紅茶は冷めちゃったかな」そう言うと、父は彼女にカップを差しだした。

「排水口のゴミ受けをきれいにしてきたわ。ほうっておくと、下水管が詰まっちゃうから」スヴァンチェは紅茶を一口飲んだ。

わたしはキュウリをひとかけ口に入れた。スヴァンチェはパンをかじって、わたしを見た。シャワーになんであんなに時間がかかったのか理解に苦しんでいるようだった。しかもわたしはまだ九歳だ。わたしには、スヴァンチェがなにを考えているか手に取るように分かった。こんなに幼いうちから見た目を気にするなんて。きっとそう考えていたに違いない。

わたしは思った。スヴァンチェのナルムコナンデ（コンディショナー）なんて嫌いだ。


その夜は、目が冴えて眠れなかった。その日の午後、スヴァンチェの女友だちが数人訪ねてきていた。スヴァンチェはマーブルケーキを焼いておき、コーヒーをいれた。友だちはみんな、繊細でしっとりとした髪をしていて、洗いざらしのTシャツとウールのセーターを着ていた。わたしはワンピースを着ていた。女友だちはわたしに年齢や好きなことはなにかと訊ねた。そんなことを訊かれるのははじめてだった。わたしはドイツ語と絵の授業が好きだと答えた。そして、地下用水路《カナート》も好きだと付け加えた。本能的にウケると思ったのと、あとでスヴァンチェが父に話すだろうと期待したからだ。だけど、わたしは地下用水路を意味するドイツ語を知らなかった。

スヴァンチェがみんなにコーヒーを出すと、ふたりの女友だちが本を何冊も出して、テーブルに積み上げ、みんなで議論を始めた。わたしにはなんの話か分からなかった。「社会」という言葉がよく飛びだしたが、なんとなくしか分からず、ほとんどの言葉が初耳だった。ときどき誰かが本の一節を朗読した。一度、四角い眼鏡をかけた女の人が拳でテーブルを叩いた。わたしはケーキを食べながら、スヴァンチェをうかがった。スヴァンチェは静かにしていた。

ケーキを食べ終わると、わたしは居間に行って、ペルシア絨毯に座った。手持ち無沙汰だったので、クーゲルバーン〔組み立て式の木製ブロックに球を転がして遊ぶドイツのおもちゃ〕で遊んだ。

「多くの女の同志が」キッチンのドアが開けっぱなしだったので、スヴァンチェの声が聞こえた。「きわどいミニスカートを穿いているわ」


女友だちのひとりが帰り際に本を一冊くれた。ハインリヒ・ベル〔一九七二年にノーベル文学賞を受賞したドイツの社会派作家〕の短編集だった。

その夜は眠れなかったので、ベッド脇のライトをつけて、もらった本を開いてみた。一話目を読み始めたが、ナイフの話題に不安を覚え、すこしずつ読んだ。その話では、冒頭からいきなり機関銃が話題になっていた。わたしは頁を繰った。吸い殻を痰壺に捨てる数学の教師の話があった。次の話は「橋の畔《ほとり》で」というタイトルで、子どもに穏やかに直接話しかけるような語り口だった。語り手は傷痍軍人で、歩くことができないため、新しい橋のたもとに座って毎日そこを通る人の数を数えるのだが、それは話の核心ではなく、中心にあるのは愛だった。わたしはこの話を何度も読み返した。

ぼくのかわいい恋人は橋を渡ってくる。——日に二回橋を渡る——、するとぼくの心臓はいきなり止まる。

それから、

わたしは狂ったように人数を数えた。走行距離計でもこれ以上うまく計測できないだろう。

そして最後に、

……数に入らないぼくのかわいい恋人……。

愛についてはおぼろげにしか知らなかったが、わたしも遠い将来、どこからともなく現れる、数に入らない恋人になって、憧れの対象になり、また姿を消すのかなと想像して、いいなと思った。毎日、橋の一方からもう一方に渡る恋人。橋のたもとに座ったまま動くことのできない、目立たない記録係にどんな感情が芽生えているかなどまるで知らずに。語り手の望みはただひとつ。数に入らない恋人をいつか家まで送っていくことだった。その点が、わたしはすこし気に入らなかった。

何年も経って、この物語を忘れかけたころ、わたしは一九六〇年代に亡命してミュンヘンで暮らしているペルシア人詩人のインタビュー記事を読んだ。その詩人は「橋の畔で」に触れて、「この話に魅了されました。非常にイラン的だと思ったのです」と言っていた。たしかに、この話にはペルシア的な人のつながり方が描かれている。わたしもそこがいいと思った。

父はその夜、遅く帰宅した。わたしの部屋のドアをすこしだけ開けて、わたしの様子をうかがった。

「まだ寝ていないのかい?」

スヴァンチェがそばにいないと、父はペルシア語を話した。でも、いないときだけだ。といっても、スヴァンチェはヴォルフィと違って、「家ではドイツ語を話せ」と一度も言ったことがない。父はベッドに腰かけて、本を手に取った。

「ベルか」父は独り言のように言った。「おまえに分かるかな?」

「女の同志ってなに?」わたしはドイツ語で訊ねた。

父はすこし考えた。カリフラワーの匂いがした。

「この世のすべての人によかれと思う女性のことだよ。みんなに仕事があって、食べていけて、住む家があることを願っている」

「スヴァンチェは同志なの？」

「そうだよ」父は答えた。確信を持っているようだった。

「じゃあ、父《バーバ》さんも同志？」

父は考えた。疲れているように見えた。

「いいや」しばらくしてから言った。「もう同志じゃない。店で何人かの人に果物や野菜を提供するだけで充分なんだ。さあ、おやすみ、ジュージェ（ヒヨコ）！」父はわたしの肩まで毛布をかけてくれた。

ジュージェ。女の同志。暗い部屋の中で、わたしはこのふたつの言葉を交互に小声で口にした。わたしはこのふたつの極のあいだを行ったり来たりしながら考えた。父さんはわたしのことをめったにジュージェと呼ばない。スヴァンチェは夏休みのあいだ、わたしの世話をしてくれた。父さんにジュージェと呼ばれると、お腹の当たりがふわっとする。スヴァンチェは夜勤を終えて昼に起きると、父さんが焦がしてしまった料理を温めてくれる。ジュージェという言葉は響きがいい。それ自体はヒヨコという意味だ。でもスヴァンチェは午後、いろんなことをしてくれる。動物園や博物館や子ども劇場に連れていってくれる。両手を皿のようにしてジュージェを包むと気持ちがいい。気持ちよさはすこし長続きする。でも一昨日、スヴァンチェが買ってくれたイチゴの匂いがする消しゴムもいい。ジュージェに息を吹きかけると、黄色い羽毛が揺れる。あるとても暑い日、スヴァンチェが食べさせてくれたアイスもよかった。

ジュージェの産毛ほど柔らかいものを見たことがないけど、スヴァンチェはみんなに仕事があって、食べていけて、住む家があることを願っていて……。

ジュージェと女の同志のことを考えながら、わたしはその夏の夜、眠りについた。一九八三年の夏の夜だったと思う。そのあと父の口からこの言葉が出たかどうか覚えていない。

13　ジュージェ
―ヒヨコ―

　翌朝、わたしたちはスーツケースを持って、土のサイコロの前に立ち、タイヤをきしませながら角を曲がってくるタクシーを見た。わたしたちは車に乗り込み、運転手がスーツケースをトランクに詰めた。運転手はなにも言わず、どこへ行けばいいか訊きもせず、車を発進させた。運転手は娘のことでいまだに腹を立てているようだが、それを表に出さず、深くて暗い穴蔵で怒りをぐつぐつと煮えたぎらせるのにとどめていた。

　小さな空港ターミナルビルの前にタクシーが列をなし、人々が集まってなにか議論していた。「メルド〔フランス語の罵声〕」かすかな声でそう言うと、ラーミーンは、車の中で待っているように言って、タクシーを降りた。運転手はしばらくエンジンをかけていたが、キーを回してエンジンを切った。人々の話し声以外、なにも聞こえない。世界一静かな空港だ、とわたしは思った。

母はアクリル素材のピンクの服を着たふたりの少女を見ていた。ふたりは歩道でケンケンパ遊びをしている。大きいほうの子は服がすでに窮屈そうで、乳首が目立っていた。だが、おさげ髪はいかにも子どもらしかった。

ラーミーンが空港ターミナルビルから出ると、足早に近づいてきて、また助手席にすべり込んだ。

「すべて欠航だ。ケルマーンに行くしかない」ラーミーンはすこし息を切らしていた。

「どのくらいかかる？」わたしは訊ねた。

「二時間くらいかかな。午後五時のテヘラン行きの便にまだ空席があった」

「じゃあ、焦らなくていいわね？」

「いや、先のことは分からないからな」

タクシー運転手はエンジンをかけてバックした。ピンクの服を着たふたりの少女がケンケンパ遊びをやめて、母親に手を振った。母親は手を振り返さず、じっとふたりを見ている。母親がなにを考えているか分かる気がした。

砂漠を抜ける二車線の舗装道路をひたすらまっすぐ走った。右には雪を頂く山脈が連なり、左のなにもない大地には陽炎が立っていた。ラーミーンは、サッカーを話題にして運転手としゃべろうとしたが、うまくいかなかった。話題の賞味期限はどうやら三日、つまり帰途につくまでだったらしい。ラーミーンは自分の膝を指で叩いた。母は頬杖をついて外を見ていた。

数ヵ月前にゴーストライターから頼まれていた自伝執筆の仕事が脳裏をかすめた。イランに飛ぶ直前に、もうすぐ執筆に入ると言われた。伝説的な私立探偵ヴェルナー・マウスか、金融市場を引退した大物の自伝だろうとにらんでいる。わたしは自分が履いているヒールブーツを見た。かつてはシルバーメタリックだったが、いまは灰色だ。ドイツに帰ったら、すぐ新しいのを買うつもりだ。それから冷蔵庫に入れてある牛乳のことを思った。もう腐っているだろう。次にヤンのことを思った。動物園で出会ってから二週間後、あるコンサートで偶然再会した。電話番号は交換していたが、とくに会う約束はしなかった。わたしたちはジプシーパンクバンドの音楽で踊った。汗だくになり、生温《なまぬる》いビールをごくごく飲んだ。歌手がわたしたちの頭上を飛んだ。「Only one day, only one time（一日だけ、一度だけ）」。荒々しいヴァイオリン演奏にしびれた。ヤンにはもう会うことはないと思っていたので、この偶然がうれしくて、わたしたちはコンサートのあと非常口でいちゃついた。ホールの照明が消えると、わたしたちは自転車にふたり乗りして、わたしのアパートに行った。脚の毛を剃っていなかったことだけが悔やまれた。わざわざ剃らずにいるのは、人を家に連れ込まないようにするためだった。だが、わたしが家の鍵を開けるなり、彼は靴も抜がずにカウチに倒れ込んで眠ってしまった。翌朝、枕元で携帯電話が振動したため、わたしは目を覚ました。

ホットアイアン〔ドイツで開発されたフィットネスプログラム〕をしにいく。また連絡する。

二時間後、わたしは新聞を持ってキッチンの折りたたみ式テーブルに向かい、パンにチーズをのせてかじったところで、またショートメールが届いた。

追伸　いかした夜だった。

わたしはしばしパンを噛むのをやめた。

わたしはラーミーンのほうを見た。彼は振り返って、目配せをした。わたしはウィンドウガラスを下げて、肘から先を外に出した。向かい風を受けるように手を広げると、風の抵抗を感じる。だが、「なに子どもっぽいことをしているの。腕を引っ込めなさい」と母にしかられた。

「なんならシャズデ庭園に寄ってもいいですけど」運転手が言った。

ラーミーンは時計を見た。

「すばらしいアイデアだ！　いま十二時だから、時間は充分にある」ラーミーンはルームミラーを覗き込んだ。「いいかな？」

「いいわ」わたしはそう答えたが、母は返事をしなかった。「母さん《マーマーン》？」

母は背筋を伸ばしていた。

「もちろんいいわよ」

「ジュージェ（ヒヨコ）」ラーミーンが言った。「腕をなくしたくなければ、引っ込めたほうがいい」

わたしはウィンドウガラスを上げて、手をお腹に当てた。


わたしたちはシャズデ庭園の門をくぐった。その門自体がすでにすごい建築物で、わたしは言葉を失った。ラーミーンも珍しく絶句していた。母はそもそも、今朝ホテルを出てから口数が少なかった。見上げるばかりの大木が左右に列植されていて、巨大な階段があり、天辺には岩塊や白い山の頂を背景にした宮殿が聳えている。階段の真ん中には水の流れができていて、各段に池があり、流れ落ちる前に水がそこにたまるようになっている。わたしたちはゆっくりと階段を上った。一歩上るたびに新しい発見があり、その発見は多岐にわたっていて一度には咀嚼できないほどだった。

階段の途中で足を止め、宮殿を見上げる。決して辿り着くことができない蜃気楼のようだ。わたしは門を見下ろした。はるか彼方にあるように見える。それから水に目を向けた。まずはこぼれ落ちる水、次に池に淀む水、そして左右に生えている夾竹桃、岩場、蒼穹《そうきゅう》。そこにはなんでもあった。

ラーミーンがわたしの肘に触れた。振り返ると、母が階段に座っていて、涙が頬を伝っていた。静かにぽろぽろと涙をこぼしていた。ラーミーンはそのまま歩いていった。わたしは母の隣に座ると、母の膝に手をのせるだけにして、顔を見なかった。わたしたちはそのまましばらく座っていた。ピチャピチャと水の流れる音がして、梢が風に揺れ、スズメがチュンチュン鳴いていた。まるでまわりの音の音量ばかりが大きくなったかのように、母のすすり泣く声だけが聞こえなかった。

「母さん《マーマーン》」

母は反応しなかった。わたしは母の肩に腕を回した。

軍用ヘリコプターが三機、庭園の上空を飛んでいった。わたしはローター音が聞こえなくなるまでヘリコプターを眺めていた。

階段の上に視線を向けると、宮殿の前で伸びをしているラーミーンが見えた。ホテルの部屋にはラーミーンがくれた月下香がいまでもグラスに挿してあるだろう。そしてシャワー室には最後のナルムコナンデ（コンディショナー）が。

「モウナー」母の口調はしっかりしていた。わたしの顔を探るように見上げている。母はわたしの手をがっしりつかんでいた。

「わたしはね」母は唾をゴクンと飲み込んだ。声がまたか細くなった。「おまえの名前をつけさせてもらえたの」

わたしの手を強く握っていた母の手から力が抜け、母は手を離した。

「わたしの名前、好きよ」わたしは母の背中をさすった。掌《てのひら》ではなく、指で。そして歩きだした。

14　チャハール・ラーフ　―四本道―

「ほら、ヴァンパイアだぞ」スィヤーヴォシュは言った。「俺はアイスボンボンを食べすぎだな」

いろんな形を象《かたど》ったアイスボンボンを大皿に盛って白大理石のテーブルに置くと、スィヤーヴォシュは革張りのソファにどさっと座った。テヘランの北部にある彼の住居は十二階にある。マンションは斜面に建っていて、窓は南か西に向いている。アイランドキッチンのある居間に、左の窓の下ろしたブラインドの隙間から日の光が差し込んでいた。わたしたちにも縞模様の光が当たっていた。スィヤーヴォシュの娘が駆けてきて、ヴァンパイアの形をしたアイスボンボンを手に取ると、ふたつに引きちぎって両方とも口に入れた。

「もう充分食べたでしょ」フェレシュテがスィヤーヴォシュの背後にあるアイランドキッチン

でトマトを刻みながら言った。「そんなに食べると、新しいバレエの衣装が着られなくなるわよ」

ピンクの生地がたしかにお腹のあたりでパンパンに張り、チュチュ〔古典バレエで着られるスカート状の舞台衣装〕が小柄な娘の丸々した身体から上にぴんと跳ね上がっている。娘はまたヴァンパイアを手に取った。

わたしは娘に微笑みかけた。

「なんて名前？」

「ガビ」

「ガビ？」わたしはスィヤーヴォシュのほうを見た。

彼はため息をついて腕を上げ、妻にボールを投げつける仕草をした。

「ドイツから俺のところに実習生が来ていたことがあってね。フェレシュテがその子の名前を気に入ってしまったんだ」

わたしたちは押し黙った。

「それで」そう言って、スィヤーヴォシュは身を乗りだし、膝に肘をついた。「きみはいま、なにをしてるんだい？」

「ゴーストライターのゴーストライター」

「はあ？　わけが分からない」

「引く手数多で仕事を抱えすぎたゴーストライターがいて、その手伝いをしているの」

「興味深い分業体制だ。出版社はきみの存在を知っているのかい？」

「いいえ」

「おいおい、お嬢さん、それじゃなんにもならないじゃないか！」スィヤーヴォシュはドイツ語で言った。

スィヤーヴォシュは昔からわたしのことを「お嬢さん」と呼ぶ。昔の彼はまだ髪が黒くてふさふさだった。でも、まだ目の下はたるんでいないし、すね毛も白くなっていない。わたしに見られてむずむずしたのか、彼は両手ですねを触った。

フェレシュテがサラダの皿を食卓に置いて、片手で黒く塗られた天板をさっと撫でた。

「これはイケアで買ったの」フェレシュテは独り言のように言った。

「自慢するのはよせ」スィヤーヴォシュが彼女に言った。「ドイツではどんな奴でもイケアに行く」

「あなた、ちゃんとしたズボンを穿いてと頼んだでしょ」フェレシュテがそばに来て、スィヤーヴォシュのふくらはぎを見てそう言うと、応接セットのテーブルに目を移した。「それにモウナーになにも飲み物を出していないじゃない」

「大丈夫だから気にしないで」わたしは言った。

「モウナーはドイツ人だ。欲しければ自分で言うさ」スィヤーヴォシュはわたしのほうを向くと、ドイツ語で話し始めた。「そうそう、去年ハンブルクで、女性問題で死刑判決を受けたへルムート・バイヤーに会ったぞ。『ことの真相』という『シュテルン』誌のコラムのためにね」スィヤーヴォシュは横目でフェレシュテを見てから、今度はペルシア語で話を続けた。「いまはビルシュテットというハンブルク郊外の田舎町で小さな店をやっている。中古バイク用品の店さ。カウンターの後ろにイランの地図が貼ってあって、竹製のカーテンを通して奥の倉庫が見えた。そこにアジア人らしい女性が座っていて、ぼうっとしていた。あれにはまいったよ」

「……というと？」

スィヤーヴォシュがにやっとした。

「あいつはいろいろと話してくれた。自動車事故のこと。いまでは修理するより新車を買ったほうが安くつくという。それから刑吏とカスピ海まで遠足をしたこと。刑吏は足下にカラシニコフ銃を置いていたそうだ。それから年金の話もしたな。エヴィーン刑務所に収監されていた期間も年金対象になるといいが、と期待を漏らした。それから、いまさらなんの用だと訊かれた」

「そんな内容でよく記事が書けたわね」

「書けるわけがないさ。試してみたけど、書けたのは風刺雑誌でしか使えない代物だった。いや、それもだめかな。あんな哀れな奴じゃな」

「そんな小物があんな大事件に巻き込まれるとはね……」

「とんでもないジョークさ」

〝……大物が小事で足をすくわれるとは〟野菜のピクルスの瓶や缶詰を背にしてカウンターに立つ父を見るたびに、わたしはそう思ったものだ。

娘のガビがわたしの横の肘掛け椅子に座って、わたしを見た。

「ペルシア語とドイツ語、どっちが上手？」

スィヤーヴォシュが顔をくしゃくしゃにして笑った。アイスボンボンのヴァンパイアの翼が舌の上にのっていた。

「ドイツ語をペルシア語みたいにしゃべったら大変だ」

「ドイツ語のほうが得意ね」わたしはガビに言った。「あなたもドイツ語ができる？」

「来年ドイツ人学校に入学するの」フェレシュテがキッチンのほうから言った。

「単語をいくつか知ってる」そう言って、ガビは数え上げた。「ヴァンピーア（ヴァンパイア）、ジョルナリスト（ジャーナリスト）、ドイッチュラント（ドイツ）、フースバル（サッカー）、アイントラハト・フランクフルト、バイエルン・ミュンヘン、トーア（ゴール）、フルークハーフェン（空港）、プリンツェッシン（お姫さま）、イッヒ・ビン・ガビ（わたしはガビ）、ヴィー・ハイスト・ドゥー（名前はなに）？　イッヒ・ヴィル・プリマバレリーナ・ヴェアデン（わたしはプリマバレリーナになるつもり）、イッヒ・ハーベ・フンガー（お腹がすいた）、ビッテ（お願い）、ダンケ（ありがとう）。十五個。もう十五個も知ってる！」

「十五個なんて、すごいわね！」わたしは誉めた。

「クロイツング（交差点）という単語も知ってる！」ガビが叫んだ。

「クロイツング？」

「父さん《バーバー》はチャハール・ラーフのことをいつもドイツ語でクロイツングって言うのよ」ガビは父親のほうを見た。

「クロイツングはクロイツングだ。二本の道路が交差することを言う。チャハール・ラーフ、四本道なんて言うのはおかしい」スィヤーヴォシュは間を置いて娘を見つめ、ドイツ語で話を続けた。「はじめのうちはドイツ語で娘と話すようにした。だが、うまくいかなかった。なにを口にしても、ソフトポルノの吹き替えみたいに聞こえるんだ。あるいはガラスセラミック製電気コンロの取扱説明書を読んでる気分になる。フェレシュテに頼まれて半年は頑張った。でもそこで、さじを投げた」

「ねえ、それじゃ、なんの話をしているか、わたしたちに分からないじゃない！」フェレシュテはナイフとフォークをテーブルに並べた。

そのときドアのベルが鳴った。

「ピザが来た。食事よ！」そう叫んで、ガビが駆けだした。

ピザはピザ本来の味がしなかった。チーズがどっさり載っていても、ピザだという満足感を呼び起こすことはできず、ペルシアの煮込み料理の味がした。その味に慣れてから、わたしは二切れ目をいただいた。

ガビが母親をちらっと見た。

スィヤーヴォシュがにやっとした。

「ほらな、フェレシュテ、彼女はドイツ人なのさ。必要なだけ食べる」

フェレシュテはわたしの上腕に手を置いた。

「耳を貸しちゃだめよ。自分の家だと思ってちょうだい」フェレシュテは食べる前に長い黒髪を後ろで結んだ。頬骨が張っていて、若いころはセクシーだったに違いない。でも、いまではすこしきつい感じがする。自分の皿に取ったピザをかじる前に、彼女は銀色のマニキュアをした長い爪でチーズをはがして、皿の縁に置いた。フェレシュテは食べながら娘を見て、眉をひそめた。

「だめよ」ガビが三切れ目に手を伸ばすのを見て言った。

「でもモウナーも三切れ目を食べてるよ！」

「モウナーは大人だからいいの。あなたはまだ子どもなんだから。もうすこしサラダを食べなさい」

わたしは手にしていたピザを皿に置いた。サラダをもらおうかなとちょうど考えているところだった。

「モウナーもカロリーに気をつけないとな」スィヤーヴォシュはペルシア語で言った。それからスプーンでキュウリとトマトをすくって口に運び、ドイツ語で話を続けた。「きみも一年こっちにいるうちに、ずいぶん太ったものな」

「アイスボンボン以外にもいろいろ食べたから」わたしはスィヤーヴォシュのほうを見ずに囁くようにそう言うと、立ち上がろうとした。

フェレシュテは何度かわたしを椅子に座らせようとしたが、わたしはかまわず立って、片付けを手伝った。そろそろ暇乞《いとまご》いをする頃合いだと思ったが、そのときフェレシュテに訊かれた。

「コーヒーと紅茶、どっちがいい？」

「紅茶にしてくれ！」ソファに戻ってくつろいでいるスィヤーヴォシュが言った。

「わたしもそうする」そう答えてしまった。もう帰るべきだと分かっていたのに。このあとなにが待ち受けているか分からない。

フェレシュテはわたしたちの前に紅茶を置いて、スィヤーヴォシュの横に座ると、わたしに期待の眼差しを向けた。

「それじゃ、話してもらおうかしら。恋人はいるの？」

「それとも、いまだにラーミーンとやってるのか？」スィヤーヴォシュはペルシア語で言った。

わたしがスィヤーヴォシュをにらむと、彼は目を伏せた。フェレシュテがさっと立って、結んでいた髪をほどくと、もう一杯いかがと訊ねた。わたしは、まだ飲み終わっていないカップを置いて立ち上がった。太陽の光に目が眩《くら》んだ。フェレシュテが表玄関まで案内してくれようとするのを、わたしは手で制した。玄関のドアはわたしの狙いどおり、音を立てて閉まった。

エレベーターは全面鏡張りだった。四面に映る自分が他人のように見えた。わたしの表情と姿勢。友人のヤンに言われたように胸を張り、うつむかないように耳のまわりの筋肉に力を入れてみた。だが今度は誰でもない者になろうとしているようにしか見えなかった。それから鏡はわたしの涙で水をたたえた池となり、すべてが霞んで見えた。エレベーターが五階で止まった。わたしははっとして、頬を伝う涙を拭いた。年配の女性が乗ってきた。サングラスをかけていて、茶色っぽいレンズがしわの寄った小さな顔の半分を覆っている。そのサングラスを指でちょっと上げると、女性はわたしに微笑みかけた。地上階に着くまで、女性は何度も足を踏み換えた。わたしは下を見た。女性はブルーのナイキのスニーカーを履いていた。

はじめて出会ったとき、スィヤーヴォシュとは同じ道を歩いていると思った。だが、それはまちがいだった。わたしたちの道は偶然交差しただけだった。スィヤーヴォシュが知る道はひとつだけだ。ひたすらまっすぐ進み、振り返らない。それでいて、自分の進む方向、人生を自分で選んでいるふうに見えない。

「わたしにはチャハール・ラーフ(四本道)なんてない」祖母は出口のない状況に追い込まれると、決まってそう言ったものだ。おそらく、自分の行く道を自由に選んでいる感覚など一度も持ったことがなかったのだろう。

一階でわたしは年配の女性よりも先にエレベーターを降りた。足早に表玄関に向かい、ドアに手をかけたとき、後ろから声がした。

「チャードルを身につけたほうがいいわよ、お嬢さん！」

わたしのことを気にかけてくれたようだ。まるで、かぶるか、かぶらないかの選択肢がこちらにあるかのような言い方だった。

15　ドルーグ　―嘘―

　ラーミーンはまたスィーマーの家の前でわたしたちを待っていた。今回は自分の車で来ていた。空港まで車で送ると言われても、わたしは断らなかった。努めてペルシア人らしくしようとしているわたしの母は、何度も断ってから彼の申し出を受け入れた。なんだか機械仕掛けのようだ、とわたしは思った。母はすぐ後部座席に座った。ラーミーンはシートベルトを締めた。はじめてだ。

「どうした風の吹きまわし？」わたしはそう訊ねて、シートベルトを顎でしゃくった。

「どうも年を取ったようでね」ラーミーンはギヤを入れて、バックで坂道を上った。

「わたしが運転してもいい？」

「いや、本当はだめなんだ。運転したいのか？」

「いいえ、今度ね」

「いいじゃないか。イランで車を運転。いい人生経験になる」

「ありがとう、でもまだ死にたくない。絶対にお断り」

わたしたちは高速道路を走った。高速道路には芝生と花壇があしらわれている。オーバーオール姿の男性たちが花壇のまわりにいて、それぞれ花壇ひとつを任されているようだ。この国ではなにが起ころうとも、花を飾ることは絶対に欠かさない。わたしはラーミーンを見た。彼と並んで車に乗るのは好きだ。母が後部座席にいても。ふたりが人生という車に同乗して、空想の地を走るだけなら、きっとわたしたちもなんとかなったに違いない。

ラーミーンがハンドルを握り、わたしが助手席に座るのは、今回はこれで最後だ。


こんなのはじめてだ。わたしたちはホテルのロビーで会ったその足でパーティに出た。その前日、わたしはある記者会見場で彼と知り合った。テヘランに来てまだ一週目だった。ハータミー〔イラン・イスラーム共和国第五代大統領。穏健派として知られた〕の改革派に近いある新聞の編集人が記者会見で、民兵に編集部が襲撃されたことを問題にし、連行されたスタッフの氏名を列挙した。そのときわたしは、誰かにじっと見られているのを感じた。左を向くと、そこにラーミーンがいた。記者会見のあと、彼はわたしたちのところに来て、スィヤーヴォシュに挨拶した。フランスの通信社の特派員だと言って、スィヤーヴォシュは彼をわたしに紹介した。

ラーミーンは小柄なほうだが、肩幅があり、目に浮かぶ笑みが魅力的だった。別れる前に彼は紙になにかメモして、わたしによこした。

「気をつけろよ」そのあと女子学生寮まで送ってくれたスィヤーヴォシュが言った。

「なにを？」

「あいつはいかれてる」

「誰と比べて？」

「俺たちと比べてさ。下手なことに首を突っ込まないことだ」

「わたしは二十五歳なんだけど」

スィヤーヴォシュは首を横に振った。

「だが、ここでの経験はゼロだ」

「もう慣れたわ」


翌日、仕事を終えたあと、わたしはラーミーンに電話をかけ、午後八時にホテル・ホーマで会おうと言われた。わたしが躊躇していると、ラーミーンは「ロビーで」と付け加えた。わたしの中のなにかがやめろと訴えたが、二段ベッドで夜を過ごすのは願い下げだという気持ちのほうが優った。わたしはタクシーでホテル・ホーマへ向かった。ボーイが回転扉を押して、中に入れてくれた。黒い安楽椅子に座っているラーミーンを見つけ、わたしは入口で立ち止まった。彼は電話をしていて、別の方向を向いている。わたしは無性に引き返したくなったが、ピアノを演奏する音を耳にして、行動に移し損ねた。

そのときラーミーンがわたしを見つけ、すぐに電話を切って、微笑みかけてきた。わたしは彼のところに歩いていき、向かい合わせの回転椅子に腰かけた。ラーミーンがなにか言ったが、よく聞き取れず、わたしは身を乗りだした。彼はボルドーレッドのシャツを着て、胸元を開け、アフターシェイブローションの香りを発散させていた。いかにも大人の男という感じだった。

「きみもコーヒーでいいかな?」

「ええ」

ラーミーンはウェイターを手招きし、まずわたしにコーヒーを注文し、自分にもおかわりを頼んだ。天井まで届くガラスのモザイクが貼られた柱がそばにあり、わたしはそこに映っている自分たちを見た。ラーミーンはわたしをじっと見つめた。

「どうしてテヘランなんかに来たんだい?」

「仕事よ」

「それだけ?」

ウェイターがコーヒーを持ってきた。

「ほかになにがあるって言うの?」

「新しい土地に惹かれたと言うだけじゃ説明にならない。古い土地をあとにしたわけだからな」ラーミーンはコーヒーを一口飲んで、こっちを見てからカップを置いた。「なにかに惹かれたと言っても、じつはなにかを捨ててきたと言ったほうが正しいことがある」

「それは勘違いね」わたしは言った。「ドイツはわたしを愛してくれているもの」

まちがいではないが、それがすべてではなかった。

「そしてイランもきみを愛するだろう。パーティに行かないか？」

わたしは彼が指輪をはめていることに気づいていた。ホテルのロビーで話すよりも、パーティに行くほうがたやすく思えた。

パーティ会場の家では、すでにみんなが踊っていた。身体にフィットしたシャツを着た男たち、黒ずくめの女たち。ペルシアのポピュラー音楽をあれほどの大音量で聞くのははじめてで、耐えきれず明かりをつけたくなった。暑かったので、セーターを脱いだ。ラーミーンが透明な飲み物を注いだグラスをよこした。すこしだけジンの味がした。飲んでもはじめはなんともなかったが、いきなり効き目があらわれ、なにもかもがグルグル回りだした。音楽、踊る人々、グラスの酒を飲み干し、ちょっとおしゃべりをしては別れる人々。わけが分からず、わたしはみんなの動きをただ見ていた。ラーミーンが目の前で手をひらひら動かしながら、わたしの目を覗き込んできた。わたしになにか話しかけているようだ。わたしは踊ろうとしたが、身体が気持ちに追いつかない。風紀警察が踏み込んできたら、みんな、バルコニーや窓や非常階段からすばやく逃げだすだろう。わたしだけ逃げ遅れそうだ。発見されるのはわたしだけ。肩紐がスパゲッティみたいに細いキャミソール、度数の高い酒をほぼ飲み干したグラス、虚ろな目。音楽はとっくに消えているのに、まだ腰を振っている人々。

ラーミーンはわたしの手をつかんで、玄関まで引っ張っていき、わたしのコートを取ってくると、チャードルで包んでくれた。わたしは「ありがとう」と言って、生まれてはじめて酔っ払ってペルシア語を話したことに気づいた。わたしは念のために訊ねた。

「これからどこへ行くの？」

そのじつ、どこへ連れていかれようとかまわないと思っていた。わたしは訊ねた。

「こんなに飲んで運転して大丈夫？」

だがそう訊きながら、馬鹿な質問だと思った。わたしは笑いだした。それからエレベーターの中で壁に押しつけられ、キスをされて笑うのをやめた。嫌だと思ったが、すぐにその気持ちは消し飛んだ。

「あなた、結婚してるんでしょ」車に乗ったとき、わたしはできるだけ冷静でいようと努めた。

「結婚していても、愛情なんてない。簡単なことさ」

「嘘を言わないで。あなたと寝る気はないわ」わたしはそう確信していたし、その考えに酔っていた。

「おいおい、はじめてのデートだぞ。そういう邪推はもっと会ってからにしてくれ」

わたしはくすくす笑った。

以来、彼が嘘をついているとは考えずにいる。イランで暮らすうち、真実とドルーグ（嘘）の境界が日々曖昧になっていっても。

真夜中になるころ、わたしたちは彼の父親の事務所に入り込み、白い革張りのソファで寝た。翌日、わたしは頭痛を抱えながら、女子学生寮の二段ベッドで目を覚ました。そのとき最初に頭に浮かんだのは取材対象のヘルムート・バイヤーのことだった。ラーミーンのことを思ったのはそのあとだった。

ラーミーンはあの夜、わたしを吸い尽くした。快楽の余韻がその後もしばらく残っていた。

わたしたちは高速道路から降りた。

「止めて！」わたしは叫んだ。

ラーミーンはルームミラーを見てから、車を道端に寄せた。

「どうした？」

「運転させて」

母が身体を起こした。

「モウナー、お願いだから、やめて。冗談ではすまされないわ」

「運転したいの」

「どうしても？」

「そうよ。いますぐ運転したい」

母はため息をついて、シートベルトを締めた。ラーミーンはにやっとすると、シートベルトをはずして、車から降りた。

まるで自動車教習所ではじめて路上講習を受けるときのようだ。ウィンカー、ルームミラー、ドアミラー、後方の目視。そしてまた前方確認。

「車の切れ目を待っていたら、飛行機に乗り遅れるぞ」ラーミーンがしばらくしてから言った。

わたしはアクセルを踏んだ。わたしに煽られて白いプジョーが車線を変えた。追い越すとき、プジョーの運転手をやけに近く感じた。右側には小さな子どもを乗せてオートバイを運転する男性がいる。汗が吹きだしてくる。前方の車がブレーキをかけたのを見落としそうになった。あわてて急ブレーキを踏み、左に回避する。後ろの車もそれに倣った。チャードルが脱げた。

「チャードルが」わたしは叫んだ。

「気にするな」ラーミーンは笑った。

「気をつけて」母は理由もなく言った。

空港が近づくと、交通量が増えた。のろのろと進む。ようやく車間に慣れて、緊張がほぐれるのを感じた。わたしはそのままその車線にとどまった。

「そろそろ左車線に移るんだ」そう言って、ラーミーンは「出発ロビー」と書かれた分かれ道を指差した。

わたしはウィンカーを出し、ルームミラーを見た。

「自信を持て」ラーミーンが言った。「うまくいくさ」

わたしは自分を信じた。うまくいく、大丈夫と何度も自分に言い聞かせた。ちょうど楽しくなってきたとき、目的地に着いた。

駐車スペースに車を入れて、エンジンを止めた。母が後ろからわたしに水のボトルをくれた。わたしがごくごく飲んでいると、母はわたしの肩に手を置いた。その手の重さがいつもと違う感じがした。

「なにか学んだか?」ラーミーンがわたしからキーを受け取ると訊ねた。

「流れに乗って生きるにはどうしたらいいかをね」

まだだいぶ時間に余裕があった。チェックインをすますと、保安検査場までゆっくり歩いた。わたしたちはそこで立ち止まり、三角形をつくった。わたしは頭上の電光掲示板で時刻を確かめた。

「先に行ってるわね」そう言うと、母はラーミーンのほうを向いた。「いろいろありがとう。ドイツに来たら訪ねてちょうだい。歓迎するわ」

ラーミーンはお辞儀をした。いけないことでもしたように。

「ありがとう。喜んでうかがいます」

母はためらいがちに言った。

「奥さんも心から歓迎するわ」

「母さん」わたしはドイツ語で言った。「そのくらいにして」そしてペルシア語でこう付け加えた。「訪ねてくるわけがないでしょ。おまけに奥さんを連れてこいだなんて」

母はハンドバッグを開いて中を探った。

「パスポートはコートのポケットよ」わたしは言った。

わたしたちは立ち去る母を見送った。パスポートをカウンターに置き、保安検査場を抜けると、母はまたそれをハンドバッグに戻して、エスカレーターで上階に向かい、姿を消した。

ラーミーンとわたしは、ふたりだけで向かい合った。

「やっときみと空港のゲートまで来られた」

「ずいぶん頑張ったじゃない」

「ああ、きみのおふくろさんのおかげだ。だけど、これで俺の時間は終わる」ラーミーンは近くにいる人たちの様子をうかがった。「きみに辿り着くには人ひとりの人生をかけても足りないな」

「いろんな人生を持っているんじゃないの？」

ラーミーンは下を向いた。

「ロスタム・バトマングリ〔イラン系アメリカ人の音楽家〕でも、人生は一度きりだ」

髭面の男性がふたり、わたしたちの横に立って、出発時刻の掲示板を見た。

「アメリカに行くのはいつ？」わたしも下を向いた。わたしたちの視線が足下で交わり、そこで止まって、それっきりになるとでもいうように。

「まだ必要書類が揃ってないんだ。二、三ヵ月かかるかな、たぶん」

「うまくいくといいわね」

「友達登録すべきじゃないか？　フェイスブックで」

「お断り」

話のつぎ穂が見つからず、わたしたちは押し黙った。

ふたりの髭面男は、自分たちが乗るドバイ行きの便がどれか話していた。わたしは掲示板を見上げた。ケルン・ボン空港行きの便の搭乗が三十分後に始まるとあった。

わたしたちはどうにもならない。この場所では。

保安検査場まであと数メートルのところで、わたしは最後にラーミーンとキスをしたのはいつか思い出そうとした。ホテルの彼の客室だった。月下香の匂いに包まれ、礼拝時刻を知らせるムアッジンの声が伴奏だった。ムアッジンは一言口にするたび深く息を吸った。息を吸う音が拡声器を通して聞こえた。わたしは、息を吸うところが一番いいと思った。かすかに雑音が入るたび、ムアッジンの不安と願望がひしひしと感じられた。そしてその雑音を耳にした瞬間、わたしも不安と願望を感じた。わたしの、ラーミーンの、隣の客室にいる母の、タクシー運転手の、フランス人技師の、ケバブ店の給仕の、袋が破けて果物をばらまいてしまった女の人の、そして前輪でアナール（ザクロ）をひいてしまった車の持ち主の。

エレベーターに乗り、ラーミーンの視界から消える瞬間、わたしは振り返って手を振ろうとした。

母は大きなガラス窓の前にいて、滑走路を見ていた。ちょうど旅客機が離陸しようとしている。太陽が沈む直前、陽が翳り、太陽の輪郭がくっきり見えた。

「三十年前、わたしたちはまさにこのゲートでいっしょに搭乗するのを待っていた」母が言った。

わたしは頭の中で当時を思い返した。

「そうね。ちょうど三十年前。わたしは赤いエナメル靴を履いていた」

「母さん《マーマーン》がお別れにおまえに買ってくれたものよ。飛行機の中で脱いだものだから、着陸したときになくしてしまった」

「記憶にないわ。ほかにも靴があったの？」

「いいえ。おまえは靴を履かずに飛行機を降りた」

「靴を履かずにドイツに降り立ったということ？」

「そうよ」

「難民の子みたいじゃない」

「わたしたちは難民ではなかった」

「でも、そんなようなものだったでしょ」

遠くに着陸する旅客機が見えた。わたしたちはその旅客機が駐機場で止まり、ボーディング・ブリッジとつながるまで見ていた。タイ航空機だ。タイとイランとのあいだにもあきらかに人の往来がある。わたしには、いまだにドイツとイランの人の往来しか頭になかった。

「なんでドイツだったの？」

「そもそもイランを出るつもりなんてなかったのよ。一九七八年の時点では、そんなことをする理由がなかった」母は大きく息を吐いた。「おまえの父さん《バーバー》は恩赦で釈放されたとき、数日わたしたちと過ごした。でもそれからまたどこかへ行って、数週間、音沙汰がなかった。夏のあいだずっと顔も見なかった。あの人が突然また玄関に立ったとき、わたしは離婚したいと告げたわ。当時大好きだったアメリカの恋愛ドラマで、登場人物のひとりである女の人が相手をしっかり見て顎を突き出し、『離婚したい』というセリフを吐いたの。わたしはそれに感銘を受けていたのよ。頭の中でその言葉を百回は繰り返した。そしておまえの父さんがわたしの前に現れたとき、そのセリフを言っていた。ぽろっと口をついて出たって感じだった。それがどういう結果をもたらすかなんて、まったく考えもしなかった。母さんはちょうど買い物に出ていた。後ろに母さんが控えていたら、絶対に言えなかったでしょうね。

それが一番いい、とあの人は答えた。わたしは息をのんだ。帰ってきた母さんには買ってきたものを片付ける暇もなかった。おまえの父さんは母さんを寝室に引っ張っていって、ドアを内側から閉めた。ふたりは何時間も話し合っていた。声はドア越しに聞こえた。『だめだって？

時代は変わったんだ。われわれは皇帝《シャー》を打倒した。離婚はだめだなんて言わせない』

わたしはいまでも覚えている。おまえは絵を描いていた。大きな木のある家。玄関でわたしの母さん《マーマーン》がおまえの手をつかんでいて、わたしはおまえのもう一方の手をつないでいた。

母さんも最後には承諾した。ただし、わたしたちが外国へ行くという条件つきで」

「どうして?」わたしは訊ねた。

「母さんは離婚した娘の母でいたくなかったのよ。おまえの父さん《バーバー》がわたしをフランスに留学させた、と母さんは吹聴した」母は両手でうなじをつかんで、微笑もうとした。「母さんは自分にもそう言い聞かせて、最後にはそう信じるようになった。そういうところはうまかった。わたしたちはみんな、そういうところがうまかった」母は目をすがめた。遠くを見つめようとでもするように。

わたしは質問したいと思ったが、母はそのまま話を続けた。

「空港で別れるとき、母さんは泣きどおしだった。おまえとわたしを交互に抱いて、わたしに口が酸っぱくなるほど言った。

『おまえは大学に入りなさい。若いのだから、人生はこれからよ。まだ手遅れじゃない』

実際、ドイツで二学期分は大学に通った。ところが、それからイラクと戦争になって、イラン政府が留学生への奨学金を打ち切ったの。でも帰国するのは論外だった。そのころにはたくさんの人が国を去っていた。おまえの父さんもね」

「それなら、なんでフランスに行かなかったの？」わたしはフランス語を話している自分を想像してみようとしたが、無理だった。

「フランスには知り合いがいなかったもの。おまえの父さんはドイツ、それもケルンに行けと言ってきかなかった。昔の学友がケルンで出迎えて、車でパリへ連れていって、住む場所や必要な手続きをしてくれる手はずになっていた。わたしはようやく十八歳になったばかりだった！　けれども学友は迎えに来なかった。機内で知り合った初老のイラン人夫婦といっしょに三時間は空港で待った」

「わたしは靴を履かずに」

「そう、靴下だけで。付き合ってくれた夫婦は、いっしょにケルンに行こうとわたしを説得した。巨大な教会は本当に一見の価値があると言った。わたしは大聖堂のそばのホテルに部屋を取った。おまえの父さんはイランから学友に連絡を取ろうとした。おまえが眠っている夜中に母さんから電話がかかってきた。

『異国にひとりぼっちだなんて。おまえたちはふたりともまだ子どもなのに』と悲痛な声で嘆き、おまえの父さんが自分にひどい仕打ちをしたと言って呪いの言葉を吐いた」

「父さんがおばあちゃん《マーマーン・ボゾルグ》に？　それを言うなら、母さんにじゃないの？」そう言ってしまってから、後味の悪さを覚えた。奇妙な味のワインを飲んだあとみたいに。

「電話をしているあいだ、わたしは窓辺に立って、巨大な大聖堂の塔を見つめていた。その塔に不安を覚えた。たくさんの突起とギザギザと恐ろしげな姿。日中もそばを通ると、突風がわたしたちを煽り、ガーゴイル〔雨水の吐出し口として造形された架空の生きもの〕がこちらを見下ろしていた。おまえを抱いて、何度逃げだしたくなったことか。風に飛ばされて、塔の先端に刺さってぶら下がり、傷口から滴り落ちるわたしの血を下で母さん《マーマーン》が拭いているところを、毎夜、夢に見た。

『離婚？　これが別れた結果だよ』と母さんは夢の中で言っていた。

　大聖堂にはとうとう入ってみる勇気が出なかった。ようやく中に入ったのは五、六年前。知ってた？」

　空港のガラスの外は暗くなっていた。こんな暗さは、空港でなかったらお目にかからないだろう。黄色や白や赤の光の点が灯っている。光の点の大半がその場を動かず、移動する明かりはごくわずかだ。ガラスにわたしたちの姿が映っていた。わたしはそれを見つめた。わたしたちの背恰好は同じだ。ふたりとも黒いチャードルを身につけ、黒いコートを着ている。わたしのほうが顔が細く、鼻が目立ち、眉が濃かった。

　わたしは母が言った絵のことを思い出した。わたしはその絵を何度も描いている。高い木の生えた家。家の前にはわたしの手を持つおばあちゃん《マーマーン・ボゾルグ》が立ち、もう一方の手を母が握っている。ケルンの新しい幼稚園に入学した日、わたしは先生にその絵を見せた。その人は言った。

「すてきね。これはお姉さんとお母さんとあなた？」

　わたしはまだろくにドイツ語が話せず、ただ黙って先生を見つめた。

「母さんとわたしのあいだには、なにかが欠けている」わたしは言った。母はうなずいた。わたしたちはいっしょにうなずいた。

わたしの父が帰ってくる。ドアを開けて入ってくる。紺色のトレンチコートに身を包み、縮毛をアフロヘアにし、顔中髭だらけで、おばあちゃんがハンドバッグを持つときと同じような恰好でアタッシェケースを抱えている。父はわたしを腕に抱き、ジュージェ（ヒヨコ）と言う。息が臭い。父はわたしを床に下ろし、廊下に置き去りにする。わたしはキッチンに入る父についていく。父は蛇口をひねって、グラスに水をなみなみ注ぐと、一気に飲み干す。もう一度水を注いで、一気に飲み干す。父はグラスをすすいで、逆さにして流しの横に置く。ヘアスプレーの匂いに気づいて、わたしは振り返る。おばあちゃんではあっても、老いたお婆ちゃんではない。いまのわたしとあまり歳の変わらない女性だ。髪を束ねて結い、黄色いエプロンをつけていた。そして視線が一点に集中している。

わたしは目を閉じた。

「ドルーグ（嘘）の語源はドイツ語の『トゥルーク』（「欺瞞」という意味）かしらね？」

「逆よ。ドルーグが先だと思う」

そのとき搭乗口のあたりで人々の立ち上がる音がした。

二十四＋一孝

舜《しゅん》の孝心は天を感心させた。
漢文帝《かんぶんてい》は母親の食事や薬の毒見をした。
曾参《そうしん》は母親が困って指をかんだとき、胸騒ぎがして急いで家に帰った。
子路《しろ》は母親を養うために米を背負った。
老萊子《ろうらいし》は派手な着物を着て、子どものように遊んで、親に仕えた。
郯子《たんし》は両親の目によいと聞き、鹿の乳を飲ませた。
董永《とうえい》は身売りをして、その金で父親の葬式を営んだ。
江革《こうかく》は日雇い仕事をして母親を養った。
黄香《こうこう》は父親のため夏には団扇《うちわ》で扇ぎ、冬には自分の身体で布団を温めた。
姜詩《きょうし》が母親によく仕えると、川の水が湧きだし、鯉が飛びだした。
丁蘭《ていらん》は亡くなった母親の木像を作って敬った。
郭巨《かくきょ》は母親を養うために自分の子を埋めて口減らししようとした。

楊香《ようこう》は父親を救うため虎と戦った。

蔡順《さいじゅん》は桑の実を採り、熟していないものと熟したものに分け、熟しているほうを母親に与えた。

陸績《りくせき》は蜜柑を母親に与えるために盗んで持ち帰ろうとした。

王裒《おうほう》は雷が鳴ると、雷を恐れていた母親の墓で泣いた。

孟宗《もうそう》は天に向かって冬の竹林で泣き、母親のためにタケノコを採って帰った。

王祥《おうしょう》は継母のために凍った川に横たわり、魚を獲って帰った。

呉猛《ごもう》は親が蚊に刺されないように、自分の血を吸わせた。

庾黔婁《ゆけんろう》は父親の身を案じるあまり父親の大便をなめた。

唐夫人《とうふじん》は歯がない夫の母親にいつも自分の乳を与えた。

朱壽昌《しゅじゅしょう》は母親を探すために官職を捨てた。

黄庭堅《こうていけん》は母親の大小便の便器を素手で洗った。

ミヌー・タブリージーは母親の不倫を隠すため、母親の子を自分の子と偽った。

16　アーザーディー　――自由――

冷蔵庫には牛乳のパックしか入っていなかった。旅立つ前に買ったものだ。わたしはグラスにすこし注いで、味見をしてから流しに捨てた。どうやら誰も時を止めてはくれなかったようだ。これまでと同じように日々は過ぎていき、牛乳は賞味期限を計算した人の読みどおりに腐敗した。わたしは寝室に戻って、スーツケースの中身をかきまわして携帯電話を探し、電源を入れた。午後三時二十二分。電話の着信が数件とショートメールが一件。

どこにいるんだ？　チーズフォンデュは胃にもたれるから断った。ヤン少年

わたしは廊下のスツールに座った。寝室の時計の針がいつもより大きな音を立てて時を刻んでいる。わたしは灰色のヒールブーツを履いて、財布を手に取ると、鍵の束といっしょにズボンのポケットに入れた。コートはフックにかけたままにして、黒いショールをいつもよりしっかり首に巻いて、玄関のドアを閉めた。裏庭でロケット花火が打ち上げられた。階段の最後でつまずいて、手すりを握りしめたときに花火が炸裂したので、わたしは脈が元に戻るのを待った。

表玄関から出て、こんもりと綿のように広がった灰色の空を見上げてみる。ハインリヒ・ベルの小説に出てくる空だ。でも、わたしの好きな物語とは違う。その物語には太陽がさんさんと輝いているから。

カーテンを閉めたままベッドに入ったので、日暮れか明け方かよく分からない。表玄関の斜め向かい、通りの反対側でキオスクの店主、トルコ出身のエルカンがショーウィンドウの脇から身体を差し込んで、発泡酒を並べている。発泡酒の首に赤いリボンがついている。わたしに気づいて、エルカンはショーウィンドウをとんとん叩いて、手を振った。

わたしはキオスクのドアを開けた。オンドリの鳴き声が響いた。エルカンがカウンターで腕を広げた。

「モウナー、どこに行ってたんだ？　心配したぞ！」

「エルカン、ありがとう。でも、もう大人なんだけど」

「そんなのどうだっていい。俺にとっちゃ娘のようなもんだ」

「やめてよ、この界隈の女性みんなにそう言ってるくせに」

「いや、だけど本当にどこへ行ったのか気になってたんだ」

「あなたとはいくつ年が離れてる？　七歳、八歳？」

「おいおい、そんなに年を取ってるように見えるか？」

「わたしを娘呼ばわりしたのはあなたでしょう」

「娘が三人もいるから癖になってる」

わたしは身体の向きを変えて、以前のものより二倍は大きい新しい冷蔵ショーケースの前に立った。

「最近いろいろと改装したんだ」エルカンはカウンターから出てきて、冷蔵ショーケースの横に立った。まるで新しい馬術競技用の馬を披露するみたいに。「商売人としては、金の使いどころを心得ていないとな」

「心得ていないといけないのは、商売人だけではないわ」

わたしは牛乳のパックと小銭をカウンターに置いた。

「バカンスにでも行ってたのかい？」エルカンはお釣りを手に持った。

「違うわ。いや、そうかな。まあ、そんなところ」

「里帰りか？」エルカンは勝手に納得して、わたしにお釣りを渡した。

「そう言ってもいいわね」

「疲れたろう。楽しいけど、疲れる」

「そうね」わたしはヤンのことを思った。「でもここでだって、楽しいこともあれば、疲れることもある」

「まあ、フィットネススタジオと同じだな」そう言うと、エルカンは上腕に力瘤を作り、そこを指差した。

「いつもと違う筋肉を使うと、気分がいい」

わたしがエルカンの言葉を反芻していると、エルカンは話題を変えた。

「それで、あしたはどんな予定だい？」

「まだ未定。あなたは？　何時まで働くつもり？」

「夜通し店を開けておくさ。大晦日は稼ぎどきだ。ショーウィンドウの発泡酒は、あさってには完売だ」

「神の思し召しのままに《インシャ・アッラー》」

エルカンは、その言葉が下品なジョークでもあるかのように笑った。「ああ、インシャ・アッラーだ！　やっぱり気が合うな」

住まいに戻って、牛乳を冷蔵庫に入れた。廊下に出てショールを脱ぐことはせず、そのままキッチンにとどまった。窓からはほとんど光が差し込まず、なにもかも灰色のままだ。あたりを見まわした。コンロにエスプレッソメーカーが載っている。手に持てる最小サイズのものだ。旅に出る前にすすぐのを忘れていた。たぶんコーヒーの出がらしがカビているだろう。一度もたたんだことのない折りたたみ式テーブルのそばの壁に、赤いセロハンテープで絵葉書が二枚貼ってある。一枚は海岸で黄色い海水パンツを穿き、ボディビルダーのポーズをとっている若いころのアーノルド・シュワルツェネッガーの写真だ。右手にコニャックグラスを持って高く掲げ、足元にはビキニ姿の金髪の女性がいて、彼を見上げている。その横にあるのは映画監督トッド・ブラウニングの一九三二年の写真だ。映画『フリークス』〔トッド・ブラウニング製作・監督の一九三二年公開作品〕に登場した異形の出演者たちに囲まれている。やさしい目の者もいれば、生真面目な顔の者もいる。顔立ちの違いには違和感を覚えるが、類似点もあって感動する。形は違うが、個性的で、みな神の被造物だ。なんでこんな集合写真をわざわざ壁に貼って、毎朝、食事をしながら見とれているのだろう。

ヒールブーツを履き、ショールを首に巻いたまま廊下に出て、寝室のドア口で足を止め、殺風景な壁と乱れた毛布に目を向けた。古い木製のスツールの上に蓋を開けたスーツケースがある。和紙の笠がついたランプが天井から下がっているが、やけに低く、大きく感じた。居間に移ると、窓辺に置いた竜血樹《りゅうけつじゅ》がついに力尽きていた。ヤンが水やりをしてくれていると思ったが、そういうことにはわたしよりも無頓着なようだ。ガラスのテーブルに積もったほこりを見て、スマイルマークを描きたくなった。

本棚に飾ってあるモノクロ写真に目がとまった。わたしはその写真を手に取った。看護学生時代の祖母が同級生たちと写っている。十人以上の若い女性の顔立ちはさまざまで、民族大移動をした結果が表れているように見える。みんな、膝上丈の黒い服に白いエプロンと看護師帽という出立ちだ。真ん中には腕組みをした医師がしたり顔で座っている。

おばあちゃん《マーマーン・ボゾルグ》が一番かわいい。わたしは数年前、母のところでその写真を見つけて持ち帰った。美的に惹かれたからではなく、祖母への想いからだった。セピア色のトーンの中で白いエプロンと黒い服のコントラストがなかなかかわいい。ウェーブのかかった一九五〇年代風の髪型や、きれいなシンメトリーになった構図もいい。わたしはその写真のために、骨董市で古い金メッキの額を買った。うちに来る人はみな、この写真の前で足を止める。

わたしは祖母の顔を近くでまじまじと見て、この看護学生がこのあとどんな人生を送ったか思いを巡らせた。看護学生の人生と、彼女と関わる人たちの人生。看護学生はやさしく微笑んでいる。大きな目は自信に満ちているが、カメラを見返すことはしていない。左腕の肘の内側に右手を持っていっているところから気弱な娘らしさがうかがえる。当時、この手が紅茶を出し、祖父を虜《とりこ》にした。その手が白く、ふっくらしていて、指関節のくぼみにえんどう豆を置くことができたから。退院した祖父は、スーツを新調して花を買い、両親を伴い、ハーステガール（求婚者）として祖母の家を訪問した。ふたりは結婚し、住まいを構え、娘をひとりもうける。

それからなにが起きたのだろう。祖父は夜遅く帰ってくるようになる。酒とタバコの匂いを漂わせて。祖母は泣いている赤ん坊を抱き、咎めるような目つきで出迎える。祖父はたいていい祖母と顔を合わせることなく朝から家を出る。だが、たまに寝過ごすこともあった。そういうときは祖母の声で目を覚ます。祖母の非難の言葉の集中砲火。その一言一言がぐさりぐさりと祖父の胸に突き刺さる。

午後、帰宅してジャケットをクローゼットにかけ、靴を脱ぐと、祖父はキッチンに集まった義理の姉妹のおしゃべりを耳にする。女たちはいつもおしゃべりに興じている。おしゃべりは女たちの宗教と言ってもいい。信仰篤いムスリムが一様に改心の物語を語るように、女たちはいつも同じ話で盛り上がる。そして、いつもそこに新しい話が加わる。話題は尽きることがない。いつだって、誰かがなにか罪なことをしでかすものだ。そして祖父がひんぱんに話題になる。祖父はキッチンへ行って、紅茶をいれると、寝室に閉じ籠もり、めったに出てこなくなる。祖父はもっぱらベッドに寝そべり、たまに机に向かい、読書をする。そして、ときたま娘に捧げる詩を書くが、うまくいかず、紙を破く。祖母はその詩のことをまったく知らない。祖母は家計のことばかり気にかけている。夫が夜出歩くようになる前から、財産は目減りしていた。祖母は献身的な母を演じ、運命に打ちのめされてもくじけない妻のふりをすることに懸命だった。それが祖母に残されたたったひとつの役割だった。夫に食事を出し、シャツにアイロンをかけ、夫が与えてくれないものや放っておくものに必死にかじりついた。

そして彼と出会う。わたしの父と。美男子ではないが、背が高く、肩幅があり、学がある。

父は王妃の横に座る。祖母はダイエットをして、この特別な日のために服を仕立て直している。いつそういう関係になったのだろう。その日だろうか、後日だろうか。会ったのは一度だけだろうか。それとも繰り返し会ったのだろうか。祖母は身体の異変にすぐ気づいただろう。すぐにまずいと思うはずだ。それとも、もうひとり子どもが欲しいと密かに思っていたのだろうか。三十代半ば。子どもをつくりたいと身体が求めたのかもしれない。きっとそれが最後の機会だったのだ。だが、それでも妊娠は破局をもたらす。どうすればいいだろう。祖母はわたしの父に会う。罪のなすり合い、怒鳴り声、涙。祖母を欲しいわけではないし、家族を持って責任を背負う気などないと父は言う。望んでいるのは新しい社会をつくりだすことだが、それは明かさない。だからこその罪のなすり合いと怒鳴り声と涙だ。

そして突然の静寂。

「分かった。それなら娘と結婚してちょうだい」

「気は確かか？　まだ子どもじゃないか」

「もうすぐ十四歳になる。あの子に触れることは許さないけど」

「いかれてるぞ。自分の娘を犠牲にするのか？」

「犠牲にする？　あなたはあの子とわたしたちの子を幸せにし、なに不自由なく過ごせるようにするのよ」

「でもまだ十三なんだろう！　誰かを愛し、普通の結婚をして、子どもをもうける機会を自分の娘から奪うんだぞ。なにをしようとしているか分かっているのか？」

「わたしはすべてを手に入れた。でも、それでどうなった？　わたしのように結婚して子どもを産むよりも、それに憧れて一生を過ごすほうがずっとましよ」

「うまくいくはずがない。あの子がそんな話に乗るわけがない。どう説得するんだ？　赤ん坊を渡して、おまえの子だとでも言うのか？」

沈黙。

「そういうことになる。うまくいくわよ。あの子のことは分かってる」

「中絶したらどうだ？」

「二度とそんなことを言わないで」

沈黙。父は考える。そういう結婚にも利点があることに気づく。日頃から親戚や知り合いや近所の者から結婚しろとうるさく言われている。いつ妻を娶るんだ？　誰か世話しようか？　名家の娘まで断るくらい、選り取り見取りだと言うのか？　どうしてナデリー家の遠縁の姪と会いたくないんだ？　三十歳を過ぎてから、世話好きの女がうるさくつきまとうようになった。丁重に断るのももう限界だった。最近も地元の女学校の校長が新しい未婚の女教師が器量もよくて、そつがないと言って押し売りしてきたばかりだ。堪忍袋の緒が切れて、両親のいるところで席を蹴って、母親の怖い目つきをものともせず、口実を作って居間から出た。父にもよく分かっていた。これだけの癇癪を起こせば、原因は花嫁候補に落ち度があるわけではないと、誰でも気づくだろう。そのうち噂が広まるはずだ。女たちが上品ぶりながら、後ろ指をさすに決まっている。混乱は避けがたいだろう。十二、十三の思春期前、女が彼に目もくれず、そばにいても気にもかけなったころ、そういう男がどういう憂き目にあうかさんざん見てきた。肥溜めをかき回せば、臭気が立ち上る。するとほかの者まで真似してかき回し始める。臭気はしだいに耐え難いものになり、いたるところに臭いが充満し、くさい、くさいとみんなが文句を言いだす。さっさとそこから立ち去ればいいものを。母親がひどい思いをしないようにするのに、これはいい手かもしれない。

祖母はわたしの父がなにを考えているか察する。考えを変えたのを表情から読み取る。これで思いどおりになる。

「あなたは娘のミヌーと結婚して、子どもを持つ。ここを離れて、別の町で暮らしたほうがいい。わたしがいっしょに行って、身重になった娘の世話をする。わたしがいい母親だというところを見せてあげる」

「条件がある。生活費はわたしが負担する。ただしあんたは、いや、あんたたちはわたしのやることに口出ししないでほしい。一切かまわないでくれ」

「あんたは父親になるのよ！　なんて冷たいことを言うの」

「あんたたには分からないことだ」

涙。

人生とはたぶん学校から帰ってきてしまう子どもと同じ

フォルーグ・ファッロフザード〔イランの詩人・映画監督〕が脳裏をよぎった。彼女の詩の一節だ。そんな言葉が頭に浮かんだ。わたしはショールをほどき、ずらっと並ぶ本の背表紙に視線を這わせた。本棚の上のほうに、薄い本が見つかる。わたしはカウチに寝そべって、その詩が見つかるまでその詩集をめくる。詩のタイトルは「新たなる生」。

人生とはたぶん
女が籠を運ぶ
長い道のりと同じ
人生とはたぶん
男が首を吊るために枝にかける
ロープと同じ
人生とはたぶん
学校から帰ってきてしまう
子どもと同じ

わたしはその詩集を最後まで読む。

わたしは
小さな悲しい水の精を知っている
大海に棲み
心が静かに奏でるのは
魔法の笛
小さな悲しい水の精は
夜な夜な　口づけをされて死に
朝靄の中　口づけをされて
生まれ変わる

玄関のベルが鳴った。わたしは、はっとして眠りから覚めた。本が床に落ちた。外は暗くなっていて、街灯がともり、居間に光を投げかけている。わたしは廊下の照明をつけて、目をしばたたかせた。
「もしもし？」インターホンから走りすぎる車の音が聞こえた。

「表玄関は開いてた」その証拠に、ヤンはドアをノックした。

ヤンの背はわたしの記憶よりも高かった。ケルシュ〔ケルン地域で造られている上面発酵のビール〕の六本パックを腕に抱えて、わたしにキスをする。彼の唇は冷たく、湿っていた。ケルンの十二月の夜の空気と同じだ。

「帰ってきたところかい？」ヤンはパーカーを脱ぐと、わたしを見下ろした。「それとも出かけるところ？」

わたしも自分の足元を見た。

「どっちでもないわ」そう言うと、わたしはヒールブーツを脱いだ。

ヤンはキッチンへ行くと、ビールを一本だけ残してほかの瓶を冷蔵庫にしまった。

「それで、どうだった？　まだイランにいるのかと思った」

「きのうの夜戻った」

「そうか？　ショートメールに全然返事をくれないんだもんな」

「イランから帰って、しばらくこっちに順応する必要があったの」

わたしは居間のドア枠にもたれかかる。ヤンはビール瓶を持ってカウチにドサッと座る。

「分かるよ。いや、俺に分かるわけがないか。イランに行ったこともないんだから」

わたしもビールを一本持ってきて、スタンドランプのスイッチを入れ、ヤンの横に座る。七時半かな、とわたしは思った。

「話を聞こう！」ヤンはわたしの膝を軽く叩いたが、変な振る舞いだと自分でも気づいたのか、さっと手を引いた。

「なにを話せって言うのよ……」わたしはビールをぐいっと飲んだ。

「悲しかった？」

「悲しい？」ビールをもう一口飲む。わたしは両足を引き寄せ、頭を後ろに反らして天井を見上げた。話したいという欲求は湧いてこなかった。ヤンが計画している写真集を話題にする気にはもっとなれなかった。心の中は静かだった。長い戦いのあとのように。抵抗する気は失せ、なんのために戦っていたのか忘れていることに気づく。ドイツ人としてのわたしとイラン人としてのわたしがせめぎ合ってから、なんと長い歳月が過ぎたことか。

ビールをもう一口飲む。アルコールが全身に回るところを想像してみる。ありとあらゆる細胞が口々に言う。「やあ、生き返った！」

「悲しいというのは正確じゃないわね」もっとしっくりくる言葉を探したが、見つからなかった。代わりに別の言葉を思いついた。「交差点をペルシア語に訳すと、チャハール・ラーフ（四本道）って言うの、知ってた？」

ヤンはビール瓶を口につけたまましばらく固まっていた。この情報にどう反応したらいいか迷っているようだ。

「いいや、はじめて聞いた」

「この言葉、いかれてない？」

「ああ、いかれてる」わたしたちは同時にビール瓶を置いた。

ヤンははずみをつけて上体を起こすと、こっちを向いた
「本当にいかれた発想だ！　これからは交差点を通るたび、別の目で見てしまいそうだ」

わたしは彼を見つめた。本気で驚いている表情だ。いつもと違って、滑稽なくらいだ。わたしは吹きだした。ヤンはわたしの口にキスをした。彼の唇は冷たく湿っていた。今回はビールを飲んだせいだ。ヤンも背もたれに寄りかかり、同じように吹きだした。わたしたちはカウチに並んで座り、頭を背もたれに預けて、げらげら笑った。ヤンはわたしよりも豪快に笑った。この数週間、彼になにがあったか、わたしは知らない。でも、なにかあったはずだ。彼の笑い方からそれと分かる。はじめはヒステリックに、それから心の中のなにかを吹き飛ばすように快活に笑った。わたしは、笑いの意味をはっきり聞き取れた。もしかしたら、わたしはそのなにかに興味を覚えるかもしれない。もうじき、あるいは近い将来。

そういえば、おばあちゃん《マーマーン・ボゾルグ》のリモコンをまだスーツケースに入れたままだ。はじめて涙が頰を伝った。わたしは祖母が大好きなジョークを思い出す。処女膜の一メートルあたりの値段をめぐるジョークだ。わたしを笑わせようとして踊った祖母の姿が目に浮かぶ。手を回す仕草をした祖母。左右の胸を手で上げ下げし、自分でもおかしくて笑いだし、おしっこを漏らさないように足を合わせた祖母。指のくぼみにえんどう豆をのせているところや、ハンドバッグの

ファスナーを閉めて、そのハンドバッグで母の二度目の夫ヴォルフィの耳をぶん殴ったところ。祖母は朝、上半身裸のままわたしの子ども部屋にやってきた。「ここではアーザーディー（自由）を謳歌することができるんでしょ！　アーザーディー！　こんな乳房を見たことがあるかい？　ファリーバーにはやさしくてハンサムな旦那がいる。たぶんすごくいいコス（陰部）を持っているんだろうね。顔がかわいいわけじゃない！　コスは股で隠すんだ。分かったかい？誰にも見られないようにね。さもなきゃ、神さまは眉間につけてくれたってよかったはず！」紅《べに》をつけた祖母の頬が目に浮かぶ。それから乳白色の肌も。その肌を布でゴシゴシこすらされたものだ。もっと強く、もっと強く、と。背中のミミズ腫れも目に浮かぶ。浴室から出て、満足そうに息をつくのが聞こえた気がした。それからパンティ。祖母はいつもシャワーを浴びながらそのパンティを洗い、洗濯紐に吊るして乾かした。前の部分に錠前と鍵がプリントされたパンティ。「あなたの唇が恋しい《ミス・ユア・リップス》」というロゴ付き。いや、もっといろいろ恋しくてならない。

ヤンは笑うのをやめていた。立ち上がって、いつのまにかわたしのためにティッシュを持ってきてくれた。

近くで花火が打ち上げられた。わたしは洟をかみながら、ヤンといっしょに居間の窓から外を見る。花火はシュルシュルと夜空に上っていき、ゆっくりと蕾を開き、銀色の火花の雨となり、やがて跡形もなく消える。

わたしは最後の涙をぬぐうと、ビール瓶をヤンのほうに突き出した。

「新年おめでとう」

「だめだめ、まだ年は明けてない。不幸を呼ぶぞ」

「まさか、そのジンクスは誕生日のときだけよ。自転車はある?」

ヤンはうなずいた。

「じゃあ、ライン川まで自転車を走らせましょう」

「いまから?」

「ええ、いまから」

外は風が吹いていた。ヤンは競技用自転車で先を走る。わたしの自転車のペダルはギシギシ音を立てたけど、必死に漕いで、後をついていった。わたしたちはヴェンロー通りを走り、緑地帯の黒々した枯れ木のそばを過ぎる。ライン川の岸辺に着いて、自転車を降りるまで、いくつもの言葉がよぎることだろう。

二一八ページの引用　Das Heinrich Böll Lesebuch, dtv 1982, S. 34–35.

二六八ページの引用　Forugh Farrochsad, Jene Tage, »Wiedergeburt«, Übersetzt von Kurt Scharf, Suhrkamp 1993, S. 60.

本書の制作はバイエルン州ライティングアカデミーのセミナー「小説を書く」の成果である。

訳者あとがき

アラビア語やペルシア語を学ぶ機会はとうとうなかったが、ドイツ文学の翻訳を始めた頃からドイツを経由して、いろいろな形でイスラーム文化圏に触れてきた。

ドイツ人作家ジクリト・ホイクが書いた、サハラ砂漠やアラビア半島を舞台にしたファンタジー『砂漠の宝――あるいはサイードの物語』（一九九〇年）の翻訳で、まずアラビアンナイトに通じるイスラーム文化圏の魅力に触れた。ドイツサイドから見たイスラーム文化圏のイメージ、いわば「他者」へのまなざしがよく分かる作品だ。その後、シリア系ドイツ語作家ラフィク・シャミの作品『蠅の乳しぼり』（一九九五年）、『愛の裏側は闇』全三巻（二〇一四年）の翻訳を手がけた。こちらはドイツ人から見たら、「他者」が書いた文学と言えるだろう。西欧の価値観では捉えきれない、中近東で生きる人間の性《さが》が描かれている。二〇二二年には、一九三〇年代にイスラーム文化圏に飛び込んだスイスの女性作家アンネマリー・シュヴァルツェンバッハの短篇集『雨に打たれて』を翻訳した。ファシズムの嵐が吹き荒れていたドイツやイタリアの状況に背を向けた著者が、シリアやペルシアという「他者」の土地に熱くも複雑な視線を向けた作品が並んでいる。そして今回、ふたたびペルシア＝イランの文化と歴史を背景にした「他者」が書いた小説をお届けすることになった。

本書をはじめて読んだとき、イランで生まれながらドイツで育った主人公モウナーの心の軌跡に深く共感した。主人公は亡くなった祖母を弔うために母とイランに帰郷する。その旅のあいだに、自分の過去を振り返る。袂を分かったドイツ人の旧友とその家族、イランからドイツに亡命し、失意のうちに亡くなった父、二十代でしばらくイランに過ごしたときに出会った人々。しかも物語の最後には、主人公の出生を巡る衝撃的な事実が明かされる。

＊　＊　＊

本書は広い意味でドイツ発の移民文学だと言える。移民文学といえば、日本には在日文学があるし、移民国家であるアメリカ合衆国にも無数の作品がある。ドイツも、旧西ドイツでの経済復興期の外国人労働者（とくにトルコ人）の受け入れや旧東ドイツの対アフリカ政策、あるいは一九九〇年代のユーゴスラビア紛争などの難民受け入れ、また統一ドイツが推し進めた多文化主義など、この半世紀のあいだにドイツ特有の移民問題を抱えている。そして、その渦中にある移民作家による表現活動もじつに活発だ。人の移動は決してただ国境を越えるだけに留まらない。多様な宗教観、世界観、人生観が混交した独特な精神世界を見せてくれる。それまでの常識を覆す刺激に満ち、いろいろな人間の可能性を見せてくれるのだ。

二〇一七年に作家デビューしたエブラーヒーミーも、そうしたドイツ発移民文学の新しい旗手だと言える。一九七八年にイランのテヘランで生まれ、翌年、母親とともにドイツのケルンに移住している。そして、ケルンのジャーナリスト学校へ進み、ケルン大学で経済学を専攻したのち、ドイツでジャーナリストとして活動した。その後、二〇一二年にオーストリアのグラーツに移住し、グラーツ出身の夫と子どもと共に暮らしている。彼女はグラーツへの移住を「第二の移民体験」と呼び、「自分の居場所はいつもなにかの間《はざま》だ」と言っている。この体験を通して、ケルン時代に距離を置けたことではじめて本書が書けたという。だから彼女の作品は厳密には「間《はざま》の文学」と呼ぶべきなのかもしれない。ドイツとイランという異なる文化圏の間で揺れる主人公の心情は、まさしくそういう作者の実体験を反映していると言えるだろう。

＊　＊　＊

イランでは、二〇二二年九月、首都テヘランで、服装が不適切だとして十六歳の少女が風紀警察に連行され、遺体で発見されるという痛ましい事件が起きた。これをきっかけにイラン全土で反政府デモが広がり、それに対する弾圧として抗議運動参加者の死刑まで執行されている。

自由や平等、人権を巡って欧米との大きく深い亀裂があることをしみじみ感じながら、本書の翻訳を進めた。

本書でも主人公が風紀警察の取り締まりを受ける場面があるし、ドイツ人が逮捕、立件された事件（本書内では仮名）などのエピソードが描かれ、その一方で、パーティに興じる若い世代の様子など、そうした抑圧の中での生き様が垣間見える。もちろんイラン伝統の日常も見過ごしにはされない。主人公は過去に癌で亡くなった父親を生まれ故郷で弔い、物語中の現在では、亡くなった祖母の葬儀のために母親と帰郷する。

人生の節目に行われるしきたりにはお国柄がよく出る。葬儀はその典型だが、ここではペルシア語で「ハーステガール」と呼ばれる「求婚者」に注目したい。とくに主人公の母や祖母世代ではお見合い結婚のイメージに近いハーステガールによる結婚が主流だった。本書にも描かれているとおり、親同伴で男性が相手の女性の家を訪問し、花嫁候補が紅茶を出し、求婚者側の職業、収入、学歴などが値踏みされる。恋愛結婚が主体の欧米とは、相当イメージが違うと言える。ひとつの言葉が意味する実体がお国柄で違ってしまう典型例だろう。

タイトル『十六の言葉』が示すように、本書では全十六の章にペルシア語がひとつずつ掲げられ、その意味合いが欧米とどれだけ異なるかが描かれる。たとえば驚きや怒りを表現する英語の「ファック」に相当する「コス」、親戚、知人に大量のおみやげを買うせいで手荷物が重量制限を超えてしまう祖母にとっての「エザーフェ・バール」。

ドイツで成長した主人公はプロローグでこう語る。

「どの言葉ひとつとっても、わたしの人生となんの関わりもなかった。それなのに、というか、だからなのか、この十六の言葉は繰り返しわたしに襲いかかってきた。」

その一方で、イスラーム文化圏への西欧の偏見に対しても、著者は「他者」として舌鋒鋭い。たとえば、主人公をはじめとするイラン出身者がドイツで感じる息苦しさ、あるいは主人公がイランで出会うジャーナリストのドイツでのエピソードなどはその典型だろう。地震で壊滅した古都バムのあちこち、たとえば巨大なショッピングモールで主人公が垣間見る復興＝西欧化の様子も、その観点から興味深い。

＊　＊　＊

次に十六の言葉のひとつとして掲げられた「バーバー・アーブ・ダード（父さんが水をくれた）」に注目したい。本書にこんな文章があるからだ。

「イランの小学校一年生がペルシア語の授業で学ぶ一文だ。しばらく前にペルシア文字をマスターしようとして、一年生の教科書を取り寄せたことがある。バーバー・アーブ・ダードが書けるようになる前に、わたしのやる気は失せた。」

バーバー・アーブ・ダードは、主人公にとって最初に学んだペルシア文字だという。だが、この言葉の意味するところはなんだろう。主人公は、はたして父親から「水」にあたるなにをもらったのだろうか。

祖母や母親についてはかなり詳しく描かれているが、父親には謎が多い。主人公の記憶の断片から再構成しながら、主人公との関係を考えてみたい。

主人公の父親はドイツに医学生として留学していた。西欧諸国の大学に留学するのは「ハーステガール」の章でも描かれているように箔をつけるためという事情もあるが、ことドイツとイランとの結び付きにはもっと深い因縁があった。父親が留学したのは一九六四年から六五年で、留学後にイランで共産主義政治活動に身を投じていた。

一九六〇年代といえば、世界的に学生運動が盛り上がった時期だ。イランで弾圧されて亡命した人々が多かった西ドイツでは、一九六七年にイランのパフラヴィー国王訪独反対運動が起こる。ベルリン自由大学の学生がこの反対デモ中に警官に射殺されるという事件が起こり、これが西ドイツの新左翼学生運動の発火点となった。主人公の父親はそうした時代のうねりの渦中にいた可能性がある。

父親を巡っては、主人公の回想の中にもうひとつ興味深い言及がある。中華人民共和国で研修を受けていたということだ。一九六〇年代の中華人民共和国ということであれば、毛沢東の神格化が進んでいた時代でもある。一方で一九六六年から十年続いた文化大革命の時期にあたるが、その実態は隠蔽されたまま、中国発のカウンター・カルチャーとみなされ、当時、世界的に毛沢東思想が新左翼に傾倒した若者のあいだで熱狂的に支持された。ドイツの学生運動の中心人物で、パフラヴィー国王訪独反対運動でも中心的役割を果たした学生運動家ルディ・ドゥチュケも、毛沢東思想の影響を受けていたといわれ、政府や社会を内側から変革する活動を毛沢東に倣って「長征」と呼んでいたほどだ。

本書の主人公も、自分の父親を「毛沢東主義者」とはっきり言っている。だがもっと興味深いのは、この言葉が出てきたときの前後関係だろう。主人公はこう記している。

「父が病気になったとき、わたしは孔子の名言集を紐解き始めた。毛沢東主義者の父とわたしが、古代中国の思想家を通して気持ちが通じ合えると期待したからだ。」

そう、主人公の父親は、単なる毛沢東主義者ではなかった。日頃から孔子の名言を口にする人物でもあったのだ。そして主人公は父親と気持ちが通じ合えると期待して孔子の名言集を紐解く。主人公にとって、父親には分からないことが多い。その最たるものは、当時まだ十三歳だった母親となぜ結婚したのかということだが、祖母、母親、自分と連なる女性にとって、「他者」の最たるものが、男性である「父親」だったということかもしれない。

こうして見ると、「他者」として世界を見ている主人公の「他者」へのまなざしがどういうものか分かるだろう。主人公は先ほどの引用のあと、さらに次のように吐露している。

「わたしの内面が受け入れていたものは、この世界では拠り所とする基盤を持たず、ふわふわ浮遊してばかりいるものだったのだ。もしもどこかにつながることができたら、わたしだってしばらくは、この宇宙の端くれだという幸せに浸れたものを。」

「他者」としてドイツに身を置き、自分の一部であるはずのイランに、そして父親にまでこのように「他者」を見て、「ふわふわ浮遊してばかりいた」主人公は、はたしてこの物語で「この宇宙の端くれだという幸せ」に浸れるのだろうか。

そのヒントは「二十四孝」にありそうだ。これは中国で古来、親孝行だったことで知られる二十四人の逸話を指す。本書でも最後のほうでこの「二十四孝」が取りあげられている。これを本書に当てはめれば、「孝」は主人公がいわゆる「水」の代わりに父親から受け取ったものと言えるかもしれない。曰く、「それ孝は徳の本《もと》なり。教えの由《よ》って生ずる所なり」

しかし、正確には本書では「二十四＋一孝」と題されている。この「一孝」が誰によるものか気づいたとき、父親という「他者」へのまなざしが、自分が「他者」として世界を見る立場に反転していることにきっと気づくだろう。このあたりが、著者が言うところの「間《はざま》の文学」である由縁かもしれない。

＊　＊　＊

さて、著者についてはすでに少し紹介したが、本書で作家デビューするまでと、その後の活動にも触れておきたい。

著者はジャーナリストとして活動したのち、二〇一三年にバイエルン州ライティングアカデミーに参加している。このとき作家になる意志を固めたのだろう。本書はそのアカデミーのセミナー「小説を書く」の成果だ。本書がエブラーヒーミーの純然たるデビュー作であることがわかるだろう。出版されたのは二〇一七年で、同年、オーストリア書籍賞新人賞を受賞し、その後も二〇一九年にモルゲンシュテルン文学賞、二〇二二年にケルン市書籍賞に輝いている。

また二〇二一年には、短編 Der Cousin（従兄弟）でドイツ語圏の作家の登竜門のひとつインゲボルク・バッハマン賞を得て、ドイツ語圏で一躍注目された。二〇二〇年には Das Paradies meines Nachbarn（わが隣人の楽園）が上梓されている。今度はミュンヘンでプロダクトデザイナーとして働くシリア人男性が主人公になる。

最後に、翻訳に際してペルシア語のカタカナ表記などは、在イラン日本大使館の元専門調査員で、いまは和光大学で「アラビア語とその世界」を担当する斎藤正道さんに協力を仰いだことを記し、この場を借りて深く感謝したいと思う。但し本書で思わぬ誤解やミスがあったら、訳者の責任であることは言うまでもない。

二〇二三年六月十三日

酒寄 進一

著者プロフィール

ナヴァー・エブラーヒーミー

1978年テヘラン生まれ。翌年、母とドイツに移住。ケルンのジャーナリスト学校へ進み、ケルン大学で経済学を専攻したのち、ドイツでジャーナリストとして活動。デビュー作の本書でオーストリア書籍賞新人賞、モルゲンシュテルン文学賞、ケルン市書籍賞を受賞。最新作は2020年に発表された小説 Das Paradies meines Nachbarn（わが隣人の楽園）。2021年、ドイツ語圏の作家の登竜門のひとつバッハマン賞を受賞。

訳者プロフィール

酒寄進一《さかよりしんいち》

ドイツ文学翻訳家、和光大学教授。2012年、シーラッハ『犯罪』で第9回本屋大賞翻訳小説部門1位。2021年、コルドン「ベルリン」3部作で日本子どもの本研究会第5回作品賞特別賞。主な訳書にヘッセ『デーミアン』、ケストナー『終戦日記一九四五』、シーラッハ『珈琲と煙草』、ノイハウス『母の日に死んだ』、シュヴァルツェンバッハ『雨に打たれて』などがある。

十六《じゅうろく》の言葉《ことば》

2023年9月30日　初版1刷発行

著者　ナヴァー・エブラーヒーミー

訳者　酒寄進一《さかよりしんいち》

発行者　駒井稔

発行所　合同会社駒井組
〒231-0062
横浜市中区桜木町 1-101-1 クロスゲート 7F
電話 070-1430-0729
http://komaigumi.com/

印刷・製本　モリモト印刷株式会社

ISBN978-4-911110-00-3　C0097